D1059499

非常刑警系列

犯罪嫌疑人

程琳 著

人 民 文 学 出 版 社

图书在版编目(CIP)数据

犯罪嫌疑人/程琳 著. －北京：人民文学出版社，2006.4

(当代书丛)

ISBN 7－02－005544－3

Ⅰ.犯… Ⅱ.程… Ⅲ.长篇小说－中国－当代 Ⅳ.I247.5

中国版本图书馆 CIP 数据核字(2006)第 011521 号

责任编辑：周昌义 赵 萍　　装帧设计：康 健

责任校对：刘光然　　责任印制：张文芳

犯罪嫌疑人

Fan Zui Xian Yi Ren

程 琳 著

人 民 文 学 出 版 社 出 版

http://www.rw－cn.com

北京市朝内大街 166 号　邮编：100705

新魏印刷厂印刷　新华书店经销

字数 211 千字　开本 880×1230 毫米　1/32　印张 9.125　插页 2

2006 年 4 月北京第 1 版　2006 年 4 月第 1 次印刷

印数　1－50000

ISBN　7－02－005544－3

定价　19.00 元

第 一 章

1

漂亮的女孩,学习都不太好。王晨高中毕业没参加高考,她的学习成绩那么差,考的话也考不上。另外,她的父母都是下岗职工,即使考上大学,家里也供不起。毕业后,王晨主动要去工作。王晨的母亲与徐广泽的姐姐认识。通过这层关系,王晨来到了"海鲜世界"当了一名饭店的服务员。王晨白白净净不仅漂亮身材也好。当服务员没多久,徐广泽就让她当迎宾员。迎宾员只需每天站在饭店门前笑眯眯地迎接客人就行。工作不仅轻松,穿得也是漂漂亮亮。王晨对徐广泽心存感激。每次见到徐广泽她都会露出甜甜的笑。这是萌自心底的笑,不像遇到客人虽然也笑,但那只是似笑非笑。女孩的笑让徐广泽心里暖融融的。有事儿没事儿,他都愿意来到门前看看王晨。徐广泽不仅愿意看到王晨的微笑,也愿意看到王晨的身体。王晨穿的是旗袍。女孩不经意走动时,美丽的长腿能性感地裸露出来。

徐广泽喜欢看王晨的长腿,其他人都没有察觉。王晨叫徐广泽为舅舅。虽然不是亲舅舅,但言语之中舅舅长舅舅短,便对别人起到了很好的麻痹作用。徐广泽也充分地利用了这一点,他不仅在工作上照顾王晨,在经济上也是一样。除了每个月的工资外,徐广泽还会偷偷塞给王晨一个红包。红包里的钱比工资还多。王晨不想要。徐广泽便说:“拿着吧。舅舅给你的,怕什么!”

工作轻松报酬还多,王晨就想报答徐广泽。她对徐广泽说,我想请请你。徐广泽说,傻孩子,我就是开饭店的你还请什么呀?王晨说,我不是请你吃饭,我是请你去唱歌。徐广泽说,我不会唱歌。王晨说,不会唱没关系,到时候你听我给你唱。徐广泽说,你想唱什么呀?王晨说,我想给你唱一首《月亮代表我的心》。

徐广泽鬼鬼祟祟地找了一家不太出名的歌厅。为了避免碰到熟人,他先进去侦察了一番。他要了一个包间点好了吃的喝的,才给王晨打了电话。王晨来到了包间里,屋子里的光线很暗。她坐在徐广泽的身边开始一首接一首地唱了起来。每唱完一首,徐广泽都很认真地鼓掌。他夸奖王晨说,你唱得真好。王晨说,你别光听我唱,你也唱一个。徐广泽说,我不是和你说了嘛,我不会唱。王晨说,那你会什么?徐广泽说,我跳舞还行。王晨说,那我陪你跳舞吧!

徐广泽搂着王晨跳舞的时候,浑身的血液一个劲儿地狂奔。王晨说,你怎么了?徐广泽,没怎么的。好多年不跳了,有点紧张。王晨说,你别紧张!徐广泽目不转睛地看着王晨,他的眼里充满了渴望。王晨被瞅得有点不知所措。徐广泽大胆地摸着王晨的后背,王晨的脸红了起来。徐广泽猛地抱住王晨。王晨向外挣脱着。

徐广泽把厚厚的嘴唇贴在王晨的嘴唇上。

王晨说:“舅舅,舅舅。”接着,她用力推开了徐广泽。

徐广泽这才注意王晨已经泪流满面。他向王晨赔礼道歉:“对不起,对不起。我……今天喝多了。”

王晨低着头一个劲儿的哭。哭声把徐广泽搞得手忙脚乱。

他说:“王晨,你别哭,舅舅不是人。王晨,舅舅真的不是人!”

第二天,徐广泽以为王晨再也不理自己了。庆幸的是,王晨对徐广泽还像过去一样。见到他还露出那种甜甜的笑。这不仅让徐广泽放下心来也给了他不小的鼓励。发工资的时候,徐广泽塞给王晨更大的红包。王晨推托着,她说:“舅舅,这个我不要了。”

徐广泽说:“王晨,你不要多想。上次,舅舅喝多了。对你那样呢,我很内疚。今后呢,我保证不会了。这个钱你拿着,你父母把你养大不容易,现在你大了,你得好好孝敬孝敬他们!”

王晨又像过去感激地看着徐广泽。

徐广泽抬起手想要轻轻地拍拍王晨,但他的手在接近王晨的肩膀时,就收了回来。他说:“王晨呐,我也不怕你笑话。我心里呢非常非常喜欢你。我知道,我这个年龄对你说这种话不应该,但你不要有任何负担。我是你的长辈,我不会再做出什么过分的事儿。我会把对你的喜欢都藏在心里。我只是对你有一个小小的要求,那就是,今后我再给你帮助的时候,你不要拒绝。好吗?”

徐广泽不仅说得冠冕堂皇,做的也真像他说的那样。他私下里不再拍王晨的肩膀也不再摸王晨的脸蛋,他的行为举止确实比过去还要规矩。在王晨看来,这个徐广泽舅舅对自己真的就是无私奉献。

王晨的父亲过去是司机,下岗后一直没找到像样的工作。徐广泽就建议王晨让她父亲买辆出租车。王晨说:“我爸一直想买,但我家没钱。”

徐广泽找到王晨的父亲,假装质问他:“你是想要买出租车吗?”王晨的父亲说:“对呀!怎么了?”徐广泽说:“王晨向别人借钱,说你要买出租车,我不信过来问问。”接着徐广泽表扬王晨如何孝心，并表示他可以帮这个忙。他对王晨的父亲说："我借你钱呢不能白借，将来你得给我利息。"这是天经地义的。徐广泽要的利息不高也不低，完全是合情合理的市场价。另外，借钱必须要有抵押，王晨家一贫如洗，这种情况下，只能将买来的出租车作为抵押了。即便这样，王晨的父母也非常感激徐广泽。这毕竟是为王晨的一家找到了一条生存之道。

让王晨意想不到的是，在出租车的全部手续办下来之后，徐广泽就把借条以及抵押手续全都交给了王晨。他说："本来这个车，我是想送给你们家，但那样你父母会多想的。现在这些手续就永远放在你这儿了。你自己心里有数就行了。"

王晨看着徐广泽，眼泪一个劲儿地往下流。上次，她流泪是被吓的。这次毫无疑问是被感动的。但徐广泽把王晨感动得这样，也没对王晨有任何要求。他还是一如既往地关心她爱护她。

让徐广泽沾沾自喜的是，王晨对自己有了很大的变化。王晨嘴上虽然叫他舅舅，但那种语气里已经多了很多亲昵。特别是，王晨人小鬼大，她好像也明白她与徐广泽这种关系是不能让外人知道的，所以，她与徐广泽配合得很默契。当着别人的面，王晨对徐广泽恭恭敬敬特别有礼貌。可如果旁边没有了外人，王晨就会像个小情人似的对徐广泽不停地撒娇。她会展示着自己的身体问徐广泽，舅舅你看我现在是不是又瘦了？徐广泽说，是有点瘦。王晨说，你是喜欢我瘦点呢还是我胖点呢？徐广泽说，宝宝，你胖瘦，我都喜欢。

徐广泽私下里把王晨称做了宝宝，王晨早已欣然接受。

徐广泽说，宝宝，我现在想送给你一件礼物？

王晨说，什么礼物？

徐广泽说，我在花园小区为你买了一套房子。

王晨说，我要房子干什么呀？

徐广泽说,将来你得结婚嫁人呀！到时候,这套房子就是你的嫁妆了。

王晨深情地看着徐广泽,舅舅,将来我不嫁人我也不结婚！

徐广泽捏了一下王晨的脸蛋,傻孩子净说傻话。

王晨说,你买的房子漂亮吗？

徐广泽试探地说,我们去看看吧！

王晨说,好啊！

房子是精装修的两室一厅。屋子里已经有了全套家具和各种电器音响设备。王晨像只小鸟穿行在每个房间里,徐广泽坐在客厅的沙发上看着小鸟飞来飞去。

王晨打开衣柜,里面已经有崭新的睡衣。她拿出来问徐广泽:“这也是我的吗？”

徐广泽点了点头。

王晨说,我想穿上试试。

徐广泽说,你试吧！

王晨说,我在哪儿试呀？

徐广泽说,你到卧室去试吧！

王晨走到徐广泽的身边,搂着他的脖子,小声地说,我一个人去害怕。

徐广泽从沙发上站起来,轻轻地抱起王晨,一边喘着粗气一边向卧室里走去。

2

徐广泽喜欢上自己饭店里的服务员已经不是第一次了,但能最终得手的却还是第一次。

老板与自己的女员工搞点这种暧昧关系应该说并不算什么

新鲜事儿。可类似的事情要想发生在徐广泽的身上就有点困难。徐广泽的妻子黄敏差不多隔个一天两天就要到饭店来一趟。她名义上是帮助徐广泽分担辛苦,实际上是监督察看徐广泽有没有什么不轨行为。

曾经有那么几个像王晨一样漂亮的女孩也被徐广泽诸如红包之类诱惑住了。可徐广泽还没来得及下手,就让黄敏看出了破绽。

每当黄敏察觉出徐广泽要对哪个女孩下手时,她就果断地以种种理由把那个女孩撵走。这让徐广泽很是恼火。但徐广泽不敢表现出来。都这个岁数了还勾引这么小的女孩,毕竟不那么理直气壮。

王晨的出现让徐广泽眼前一亮。

这不仅仅是王晨漂亮,重要的是,王晨天生具备表演才能。当着徐广泽的面,王晨亲切地称黄敏为舅妈。她会挽着舅妈的胳膊,喋喋不休地说这说那。什么舅妈昨天大概来了多少客人。什么舅妈今天客人也不少。王晨在向黄敏汇报工作时,她的目光里充满了单纯充满了天真无邪。很难想像,仅仅在两个小时前,这个小女孩还和舅妈的丈夫在床上那样呢!

徐广泽喜在眉梢乐在心里。他总算找到了梦寐以求的红颜知己。他在嘴上把王晨称做宝宝,在心里也同样把王晨当做宝宝。这个小宝宝给徐广泽带来了太多太多的欢乐。每当徐广泽搂着女孩白嫩修长的身体,他就感到人生的意义不过如此。

当然了,也正由于徐广泽过于迷恋王晨的身体,他自己的身体有点吃不消。和王晨无论多辛苦,徐广泽总有使不完的劲。可他现在除了王晨毕竟还有黄敏呐!

也真是怪事儿!都这个岁数了,老夫老妻之间对这项活动应该有所收敛。但黄敏对此却总是乐此不疲。

黄敏可能是特意的,她想把丈夫的精力全都浩劫掉,以便让徐广泽即便有那个贼心到时候也没那个贼力了。

过去,徐广泽对黄敏并不是有求必应。可自从有了王晨之后,徐广泽有点做贼心虚。身体本来一点冲动也没有,但为了让黄敏觉得自己一直处在闲置状态,徐广泽每次都是咬紧牙关冲锋陷阵。

3

黄敏愿意开着灯干那种事儿,徐广泽坚决反对。他说,开着灯,我太难为情了!其实徐广泽是不想看着黄敏的脸。看着黄敏在自己的身体下面,徐广泽一点情绪也没有。为了调动自己身体的积极性,徐广泽必须要把黄敏想像成别人才能生机勃勃。

徐广泽与黄敏的夫妻生活这么多年已经形成了一套固有模式。什么时候这样什么时候那样都约定俗成。

徐广泽首先按部就班地抚摸着黄敏。这个时候,黄敏一般都心情愉悦。于是,徐广泽抓住机会不失时机地开导黄敏。

"这种事儿我们今后要少干了。"

"为什么?"

"咱们这个岁数了,干多了会有害健康。"

"你快得了吧!书上说,干这个有利健康!"

黄敏把徐广泽的手推开,暗示他可以进行最后一个环节了。可是,徐广泽光顾开导黄敏了,这时他自己还不在状态里。但为了能迅速完成任务,徐广泽还是硬着头皮来到了黄敏的身上。

为了让自己的生理机能跟得上黄敏,徐广泽展开了丰富的想像。他把黄敏想成了天仙想成了自己的小心肝。往常,徐广泽只要进行这样的想像,一般来说,都能产生一定的效果。可今天徐广泽的身体一点反应也没有。由于昨天和黄敏刚刚履行这种义务,徐广泽认为今天黄敏不会再有这种要求了。所以,白天他和王晨便保质保量超额完成了任务。到了晚上,徐广泽自然就力不从心了。现在,他仅仅凭借想像的翅膀根本就无济于事!

黄敏说:"你怎么回事儿?"

徐广泽说:"我太累了。"

黄敏打开台灯冷冷地看着徐广泽,"你为什么这么累?"

徐广泽感觉不妙,黄敏平时不和他这么较真。

徐广泽说:"昨天不是才整完嘛!"

黄敏把徐广泽推了下去,不高兴地说:"昨天整完你今天累是怎么回事儿?"

徐广泽气愤地说:"这不很正常吗?我都这个岁数了,你还拿我当年轻人呢!"

黄敏冷笑道:"你身体不年轻了,但你可以吃药啊!"

徐广泽愣住了。

黄敏打开床头柜子,找出了几盒写着猛男硬汉的药物。

徐广泽尴尬地说:"你怎么翻我兜呢?你真没意思!"他起身下床要走。

黄敏把徐广泽拉住,"你回来,你干什么去?"

徐广泽说:"我上厕所。"

徐广泽上了趟厕所心里平静了许多。他回来和黄敏解释说:"我看你最近老是要啊要啊,我没办法才吃这种药。"

黄敏说:"这么说,你吃药是为我了!"

徐广泽说:"对呀!"

黄敏说:"对个屁!为了我,你忙乎半天还这个熊样!"

徐广泽说:"我到了这个年龄不是靠吃药就能解决问题的。"

黄敏说:"快得了吧,你白天肯定是和别人整了!"

徐广泽说:“精神病。”

徐广泽显得十分气愤,他躺在床上,盖好被像是要准备睡觉。

黄敏伸手把徐广泽的被掀开,“你别在这儿装睡,你说,白天和谁整了?”

徐广泽委屈地说:“跟你整我都累成这个熊样,白天我哪还有精神啊!”

黄敏说:“跟别人你还能没精神?”说着说着,黄敏哽咽起来。

徐广泽知道这事儿要闹大了。为了占有主动,他突然大声地喊道:“操你妈,今天你闹什么?”

黄敏把枕头扔向徐广泽:“你说我闹什么!怎么回事儿,你自己没数啊!”

徐广泽说:“你什么意思?”

黄敏说:“今天上午你干什么去了?”

徐广泽说:“上午我到电视台找王晓光去了。”他迅速地把时间地点人物说得样样齐备。他还拿出电话递给黄敏:“不信的话,现在你就给王晓光打电话,你问问他。”

这种事儿黄敏是不会干的。半夜三更地给人家打电话算怎么回事。

徐广泽说:“黄敏你可以不相信我,但你总应该相信王晓光吧!”

黄敏说:“徐广泽,你少拿王晓光说事儿。现在我谁也不信。”

徐广泽说:“你他妈的今天吃错药了。就因为我不能和你干这种事儿,你就怀疑我和别人干了是不是?”

黄敏说:“你和王晨是怎么回事?”

徐广泽心里忽悠一下,但他表面却是一副吃惊疑惑的目光:

“黄敏,你说什么?你……竟然想到我和王晨。你真他妈的无聊,王晨天天管我叫舅舅你没听见呐?”

黄敏说:“当面叫你舅舅,谁知道背后叫你什么?”

徐广泽心里哆嗦着,但他判断出,黄敏现在最多还只是怀疑。要不然,黄敏会把王晨掐死。

徐广泽无奈地叹着气,他面无表情地说:“黄敏呐,我拿你是真没办法,你怎么能会想到我和王晨呢……”说着,他竟然爽朗地笑了起来。

笑声把黄敏虎住了。

黄敏说:“徐广泽,你少跟我演戏。你和王晨到底怎么回事儿?”

徐广泽笑眯眯地看着黄敏:“那你说我和她是怎么回事儿?”

黄敏说:“你自己心里清楚。”

徐广泽忽然大声地说:“我清楚你妈了个逼!王晨比咱家姑娘还小一岁,我要是和她,我不是畜生嘛!”

黄敏愣住了,她呆呆地看着徐广泽,一时不知说什么好。

徐广泽说:“我告诉你,黄敏,王晨是苏岩的女朋友!”

黄敏吃惊地说:“她是苏岩的女朋友?”

徐广泽说:“你要是不相信,你现在给苏岩打个电话问问。”

黄敏脸红了,她拿起枕头打向徐广泽,“你个王八蛋,刚才怎么不说呢?”

徐广泽看着黄敏满脸的窘迫,语重心长地说道:“黄敏啊黄敏,我建议你明天到医院去一趟,你现在肯定是到更年期了!”

4

徐广泽要请苏岩吃饭,他没有在自己的饭店而是在昆都定了一个雅间。苏岩感觉不太对劲儿。徐广泽在电话里解释说："我的饭店你太熟悉了，换一个地方，你会觉得新鲜点儿！"苏岩说："老徐，咱俩你还用得着这一套吗？有什么事儿，你就直说吧。"徐广泽说："你们这些警察就是想得多。我什么事儿都没有。就是想请你吃顿饭！"

苏岩来到了昆都饭店。徐广泽已经点好了四菜一汤。徐广泽亲自给苏岩倒了一大杯果汁，他说："你不喝酒，喝点儿饮料吧！"苏岩说："那我就多谢了。"

两个人边吃边聊。

徐广泽先是发表了一顿感慨："苏岩，你说我活着到底为了啥呢？"

苏岩说："你为了啥，我哪儿知道？反正我活着是为了吃喝玩乐。"

徐广泽说："正经点儿！我和你说的都是心里话。你说，我天天这么辛辛苦苦地赚钱，天天这么起早贪黑地工作到底是为了啥呢？"

苏岩说："摊上啥事儿了？"

徐广泽说："啥事儿也没有。"

为了让徐广泽尽快说出心里话。苏岩假装看了看表，徐广泽问："你还有事儿吗？"

苏岩说："单位有点事儿。一会儿，我得早点儿走。"

徐广泽忧郁地说道："今天你能不能多陪我一会儿。我心里难受。"

苏岩说："到底啥事儿呀？"

徐广泽又整出一堆诸如人生啊命运啊之类的感慨。苏岩不耐烦了，站起来要走，徐广泽这才重重叹了一口气，说："你嫂子现在犯病了，天天和我闹！"

苏岩说:“她闹什么?”

徐广泽说:“她怀疑我和王晨那样了!”

苏岩说:“哪样了?”

徐广泽说:“黄敏认为我把王晨睡了!”

苏岩笑了。

徐广泽说:“你笑什么呀?”

苏岩不动声色地看着徐广泽,他的眼睛眯缝起来,像是在看着一个犯罪嫌疑人。

徐广泽说:“你不要用这种眼光看我,苏岩,你还不了解我吗?”

苏岩说:“我估计十有八九你是把王晨睡了!”

徐广泽满脸委屈,他轻声喊道:“苏岩,你……”

苏岩说:“你别激动,睡就睡了呗! 老牛吃嫩草,人生不得了! 徐广泽,你听我的,黄敏要是再和你闹,你干脆把她休了。她现在又丑又老,趁这个机会把黄敏蹬了。你大大方方娶王晨当老婆……”

徐广泽笑了,“净他妈的胡扯。王晨比我小二十六岁。我能娶她吗?”

苏岩说:“二十六岁怕什么? 还不到三十岁呢! 一个八十二的娶了一个二十八的怎么了? 人家差了五十多岁呢!”

徐广泽说:“我和人家能比吗!”

苏岩说:“都是一样的人,凭什么不能比呀! 老徐,你差什么呀! 你要钱有钱,要水平有水平,你刚才不是问我活着为什么吗? 现在你有目标了,你要为爱情活着!”

徐广泽说:“爹呀,你别气我行不行?”

苏岩说:“你看你这个人,我说的都是实实在在的,不是有那么一句话嘛,老婆诚可贵,情人价更高……”

徐广泽起身捂住苏岩的嘴，“你是我亲爹行了吧！”

苏岩这才哈哈大笑起来。

徐广泽给苏岩的杯子里倒满了饮料，接着诚恳地说道：“苏岩，我也不怕你笑话我。这个王晨呢，我也确实是真喜欢。那个小模样小脸蛋，我看着就舒服。不骗你，我和黄敏干那种事儿的时候，我在心里都把王晨想像成我的小情人……咳！”

徐广泽重重地叹了一口气，“我只能是想想吧！其实，王晨对我呢，我感觉也不错。我要是真对她怎么样的话，可能也许……但苏岩，你了解我，我是有贼心没有贼胆呐！另外，王晨也太小了，比我女儿还小一岁，你说我要是对王晨下手，那我不是畜生嘛！再说了，王晨是我姐介绍来的，她是我姐的干女儿。你都听到了，王晨在我面前一口一个舅舅叫着。她这么天天叫来叫去，即使我心里有什么想法，也都给我叫没了。”

苏岩给徐广泽的杯子里斟满了酒，他的目光充满了理解。他说：“那黄敏为什么怀疑你呢？”

徐广泽说：“是这么回事儿。王晨家里挺困难，王晨的工资我感觉少了点儿。小女孩嘛，总得买这个买那个的。我跟你说，王晨一个月的工资都不够我姑娘买一双鞋的。我就想每个月多给王晨开五十块钱。五十块钱其实也不好干什么，我就是这个意思吧！我和黄敏商量这个事儿。没想到，她火冒三丈，说我和王晨怎么怎么地了。这不是血口喷人嘛！”

苏岩说：“你也是。你想多给王晨拿点钱，你就偷着给别让黄敏知道不就完了。你说你这么聪明净办蠢事儿。下次吧，除了开资，你给王晨再偷偷地发个红包不就完了。”

徐广泽说：“这使不得。我这么大岁数了，我偷着给王晨拿钱，她会怎么想？她肯定以为我是个老不要脸！另外，给王晨发红包，她要是告诉黄敏怎么办，那黄敏不更得闹翻天了。”

苏岩说:“也是啊!”他叹了一口气,“黄敏不是挺大方的嘛,五十块钱至于这样吗!”

徐广泽说:“黄敏你不了解!她不是因为钱,她是怕我有别的想法。这些年,只要我对哪个漂亮的女孩稍微热情点儿,她就会受不了。过去饭店里,你忘了那几个漂亮的女孩,什么张晓红、孙振香、刘杰不都让黄敏给撵走了!”

苏岩说:“原来她们是让黄敏给撵走的?”

徐广泽点了点头,“对!现在呢,她也要把王晨撵走!你说,这可怎么办?”

苏岩说:“撵走就撵走吧!黄敏是老板娘。你要是硬不让,黄敏更得怀疑你了!”

徐广泽说:“问题王晨是我姐介绍来的。她在饭店里干的好好的,现在就这么不清不白地撵走,我怎么和我姐交代呀!”

苏岩说:“行了!你别拿你姐说事儿了。你就是不想让王晨离开。”

徐广泽微微脸红地说:“你说的也确实存在。”

苏岩说:“让我看呢,让王晨离开你也对。老徐,我能看出,你对王晨多少已经有点那个了。你现在虽然还没犯错误,但这并不是说,你将来……”

徐广泽说:“你别和我说没用的。我今天找你是想让你帮我把王晨留下。”

苏岩说:“现在是你家黄敏不想留下,这和我有什么关系?你总不能让我去和黄敏说情吧!”

徐广泽低下头忽然不吱声了。

苏岩奇怪地看着徐广泽,“怎么了?说话呀!”

徐广泽喝了杯子里的酒小声地说:“昨天晚上,黄敏闹我。她说今天就要把王晨撵走。我很生气。一生气呢我就糊涂了,一糊涂,我就顺口说,王晨是你的女朋友!”

苏岩直直地看着徐广泽:“你说什么?”

徐广泽说:“我……实在是不知说什么好了。”

苏岩不高兴地说:“你不知说什么好,你也不能说王晨是我女朋友啊!这哪跟哪呀?”

徐广泽歉意地说:“我要不说是你女朋友,今天早晨黄敏就得把王晨撵走!”

苏岩说:“老徐,你愿意这么说,我管不着。但你老婆要是来问我,我可不给你背黑锅。”

徐广泽抬起头可怜兮兮地望着苏岩。

苏岩说:“你不用这么看着我。没你这么做事儿的。怪不得,你今天请我!原来是这么回事儿呀!徐老板,一会儿算账我买单。”

苏岩气呼呼地坐在椅子里瞪着徐广泽。徐广泽小心翼翼地看着苏岩,他恭恭敬敬地给苏岩倒了一杯饮料。

徐广泽说:“你为啥要这么生气呀?”

苏岩说:“你说我是王晨的男朋友。我压根儿就不是啊!”

徐广泽说:“你装几天怕什么的?”

苏岩说:“天底下这么多男人,你咋不让别人装呢?你为什么偏偏说我干什么?”

徐广泽说:“只有说你,黄敏才能相信!”

平日里,王晨对苏岩的确充满了好感。每次苏岩去海鲜世界里吃饭。王晨都表现出那么一种特别的热情。饭店里的服务员甚至黄敏都能感觉出来。徐广泽说苏岩是王晨的男朋友确实顺理成章。

苏岩说:“你老婆黄敏要是问我怎么办?”

徐广泽小声地说:“她不会问!”

苏岩说:“她要是真问怎么办?”

徐广泽不吱声了。

苏岩说:“徐广泽,我可把丑话说在前面。你老婆要是问我,我肯定要实话实说。”

徐广泽呆呆地看着苏岩。他知道苏岩是说到做到。

苏岩说:“将来你可不要怪我,我谁都可以欺骗。但我不能去欺骗黄敏。我每次去吃饭,你老婆又是敬菜又是打折。说句心里话,黄敏就像我妈似的。你说,我能忍心去欺骗我妈吗?”

黄敏对警察有点偏见,她老感觉警察特别能装。平时,饭店里来了警察,她总是敬而远之。但对苏岩,她从不这样。苏岩长得文质彬彬一点都不像警察。苏岩见到黄敏也总是客客气气一口一个黄姨叫着。这么长时间,在饭店里从来没见过苏岩喝多出过洋相什么的。与其他警察一比较,黄敏就对苏岩的印象特别好。徐广泽也正是因为黄敏对苏岩这么偏爱,才觉得让苏岩帮助自己欺骗黄敏能起到事半功倍的效果。可见到苏岩果断地拒绝自己,徐广泽感到了问题的严重性。他低着头喝着酒一声不吱。

看着徐广泽满脸愁容,苏岩解释说:“老徐,按理说,我去装装,也确实不是什么大事儿。但你想想,我要是装的话,这对王晨也不好啊!她要是以为我是个流氓怎么办?”

徐广泽苦笑道:“王晨对你印象那么好,她怎么会以为你是个流氓呢!行了,别说了!你就是不想帮这个忙!”

徐广泽悲壮地干了杯中的酒,凄凉地看着苏岩。

苏岩说:“你有意见吗?”

徐广泽说:“我哪敢有意见呐!”

苏岩说:“那今天是你买单还是我买单?”

徐广泽说:“你要是非得想买的话,我也没办法。但是,苏岩我希望你还是让我买吧！”

苏岩说：“我也没帮上你的忙，这不等于白吃你一样吗！”

徐广泽说：“其实，苏岩你不是在帮我。你说王晨这样一个女孩，就这么把她撵走了。她多可怜呐！”

苏岩叹了一口气，无奈地说：“我看她不可怜，我现在看你这个逼样倒挺可怜的。”

5

记者郭鸣武想要请苏岩吃饭。按理说，都应该是警察请记者吃饭。因为记者可以为警察写侦破通讯。通过这种方式警察干的工作就可以让社会让领导知道。

记者们到公安局来采访吃警察喝警察已经成了惯例。可在苏岩这儿就不太好使。苏岩不仅不请记者，想通过苏岩采访还得请苏岩吃饭。

郭鸣武曾经批评苏岩：“我来为你宣传，还得让我们报社花钱请你，你是不是太过分了？”

苏岩说：“少跟我整没用的。你请我是应该的。我这是为你提供了新闻线索。你不仅应该请我，你还得给我奖励呢！”

郭鸣武说：“你真不要脸。”

郭鸣武明知苏岩不要脸，可免不了还得经常来请苏岩。因为苏岩净破大案子，只有这种案子写成通讯才有卖点。

这几天，郭鸣武反复给苏岩打电话，要宴请苏岩。苏岩老是推托有事儿加以拒绝。最近苏岩一直没破什么像样的案子，郭鸣武请自己是白请。苏岩不想占郭鸣武便宜。表面上，苏岩拿记者不当回事儿，但他也不敢太过分。

记者都不太好惹。他们可以写文章表扬你，也可以写文章批评你。表扬的文章领导不见得重视,可批评的文章领导肯定重视。记者有点像小人,可以不巴结,但绝对不可以得罪。

苏岩给郭鸣武打电话:“我听说你要请我吃饭?有这事儿吗?”郭鸣武说:“对呀!”苏岩说:“这么的,晚上,那就安排在海鲜世界吧!”郭鸣武说:“行行行,没问题。”平时记者请客,苏岩都是找一些小饭店象征性意思意思。郭鸣武没想到这次苏岩要狠宰自己了。

晚上,苏岩开车来到了海鲜世界。王晨站在门前,见到苏岩的车就走了过去。苏岩刚把车停好,王晨就为苏岩打开了车门。王晨是迎宾员,她的职责是站在饭店门前面带微笑。为客人打开车门不是她分内工作。

苏岩满脸真诚地说:“美女亲自为我开门,我很内疚啊!”

王晨说:“你不用内疚,表示表示吧!”

苏岩说:“怎么表示?”

王晨说:“给小费!”

苏岩拿出五十块钱,递给王晨。

王晨说:“我就值五十块钱呐?”

苏岩说:“那你想要多少?”

王晨说:“你兜里的钱都给我。”

苏岩说:“我兜里就五十块钱。”

王晨说:“我不信。”

苏岩说:“你不信你可以翻。”

苏岩举起手,把兜露出来。王晨没翻,她把那五十块钱塞入了苏岩的兜里。

苏岩说:“你咋不要呢!”

王晨说:“我怀疑你这钱是假的。”

苏岩笑了,他随手试探性地拍了拍王晨的肩膀,王晨不太自然。她的脸微微红了。

苏岩假装不解地问:“你脸怎么红了呢?”

王晨说:“没有啊!”

两个人边说边闹走进了饭店里。黄敏正站在吧台后面。苏岩客客气气地和黄敏打着招呼。什么黄姨长黄姨短,黄敏说:“是报社的记者请你是不是?”苏岩说:“不是,是我请记者。”黄敏和苏岩说话的时候,王晨站在旁边笑眯眯地看着苏岩。苏岩的手心有点出汗,他和黄敏打完招呼,王晨领着苏岩向饭店的雅间走去。这也算是王晨的职责。苏岩和王晨走向楼梯时,苏岩没回头也能感受到黄敏关注的目光。来到了楼梯口时,苏岩再次轻轻地拍了拍王晨的肩膀。王晨这次已经自然多了。可苏岩却不自然了。他那个别扭,感觉就像个小偷。

6

进到雅间,郭鸣武和朱亮已经点完菜恭候苏岩了。苏岩没见过朱亮,郭鸣武向苏岩介绍:“这是我们报社新来的记者。”

苏岩急忙说:“对不起,对不起,我来晚了。”

朱亮胖胖乎乎满脸憨厚,他热情地和苏岩握了握手,客气地说:“苏哥,我点的这几个菜也不知道你是不是喜欢吃,你看要不再点两个?”

桌子上全是高档海鲜。看起来,这个架势是朱亮请客了。苏岩给自己倒了一杯饮料,马上表明态度:“朱亮认识你非常高兴。今天本来我请客,按理说我应该喝点儿酒,但你知道我们公安局有五项禁令,不让喝酒。所以,我今天只能以水代酒了。”

过去与记者打交道,话要是说到这个份上,记者们就得装糊涂了。在他们眼里吃别人都是很正常的。可朱亮却认真地说:

"苏哥,你愿意喝什么就喝什么无所谓,但讲好今天是我请客。"

苏岩说:"怎么能让你请客呢!"他一本正经地说:"朱亮,你不知道,平时都是郭鸣武请我,他对我意见老大了,我要是再不请他一次,他就得给我写批评稿了。"

朱亮笑道:"苏哥,你不要争了。不就是吃一顿饭嘛!今天说我请就是我请。"

朱亮的执着让苏岩很意外,朱亮越这样,苏岩越不能让朱亮请客。何况今天苏岩请客本身就是为了完成徐广泽交给自己的特殊使命。

苏岩说:"朱亮,你刚才已经管我叫哥了。既然我是你哥,这顿饭必须我请。要不然,我现在就走。"

朱亮被苏岩说得不知所措,他向郭鸣武看去。

郭鸣武笑道:"苏岩,既然朱老弟有这个心意,你就别客气了。"说着,他向苏岩使了一个眼色。

苏岩心里明白了。这个朱亮大概想求自己办点什么事儿。怪不得,郭鸣武这几天如此着急要请自己呢!

朱亮遇到了点儿麻烦。前些日子,市振兴房地产公司在开发康宁居住宅小区时,几个动迁户死活不搬家。公司的老板有个朋友叫曹勇。曹勇刚从监狱里出来正闲着没事儿干,老板就让曹勇帮着自己把这个事儿平了。曹勇找来几个流氓地痞去吓唬那些动迁户。动迁户见到一个个腰里揣着刀的歹徒全都吓坏了,马上与开发商签订了协议。这件事儿被朱亮知道后,他就去采访写了一篇通讯。题为《无奈的动迁》。通讯发表后,开发商找报社理论。报社本来是为那些动迁户抱打不平,可这时那些动迁户却谁都不肯站出来。搞得报社十分被动。尽管报社最后通过关系把开发商摆平了。可这个曹勇却和朱亮没完没了。朱亮刚当记者没经验,他在通讯中点了曹勇的名。曹勇为此找到朱亮讨要说法。曹勇膀大腰圆,脸上还有一条长长的伤疤。朱亮急忙赔礼。曹勇说:“你光嘴上赔呀?”朱亮于是给了曹勇一笔钱希望了结此事。但曹勇得寸进尺,又来找朱亮。朱亮不想再给拿钱了,就躲着曹勇。可曹勇有耐心隔三差五就来骚扰朱亮。朱亮被搞得焦头烂额。郭鸣武给朱亮出主意,他说:“要想摆平此事,就得让公安局刑警队的出面!”朱亮刚刚接触社会对此还不太明白。郭鸣武说:“这些流氓都怕警察,只要警察喊一嗓子,保证好使。”朱亮说:“那问题是警察凭什么帮我呀?”郭鸣武说:“这你就不懂了。流氓怕警察,警察怕咱们记者!”

了解完事情经过,苏岩把郭鸣武叫到了走廊。他不高兴地说:“那么多警察,你偏偏找我干鸡巴毛?”

郭鸣武说:“咱们关系不是好嘛!”

苏岩说:“你这个事儿我管不了。”

郭鸣武说:“你看你不就一句话嘛!”

苏岩说:“你咋说的那么轻松呢!”

郭鸣武说:“我们都打听了曹勇最怕你。”

苏岩说:“我是他爹呀,他怕我?”

郭鸣武讨好地说:“你比他爹都好使!”

郭鸣武事先已经打听清楚了,当初曹勇就是被苏岩送进监狱的。

苏岩回到雅间向朱亮询问曹勇是如何敲诈他的?

曹勇找到朱亮既没打他也没骂他,曹勇只是说他的名字见报后,他的精神遭受了巨大的伤害。曹勇说话的时候,脸上的那条长伤疤不断地抖动,一副杀气腾腾的样子。朱亮哪见过这些,只好主动向曹勇表示给他经济补偿。

苏岩感到很为难,他对朱亮说:“下次曹勇再去找你,你就不答理他。看他怎么样?”

苏岩的意思是必须要得到曹勇犯罪的把柄,公安局才能介入。但朱亮不想陷入其中。他担心那样会把曹勇彻底得罪了。

朱亮说:“苏哥,能不能直接去找找他。”

苏岩说:“朱亮,你得理解我。虽然我过去抓过曹勇,但现在他毕竟在我手里没有把柄。我说话,他不见得买我账。你看这么办好不好?明天你到我单位正式报一下案。只要你一报案,我就可以名正言顺地去找曹勇。”

朱亮胆怯地说:“报……案?不好吧!”

苏岩说:“你别怕。只要这个案子经我手,曹勇将来绝对不会再去找你麻烦。”

朱亮不吱声了。将来的事儿现在谁能说得清啊!

郭鸣武在旁边说:“苏岩,朱亮的意思吧,是想通过你给曹勇最后拿一笔钱,让他再别来找小朱的麻烦就行了。”

苏岩说:“这哪能行呢?这么干,我不成黑社会了嘛!”

朱亮看了看表小声地说:“苏哥,你看这么办行不行?你不用和曹勇说任何话,你只要让曹勇看到我和你在一起吃饭怎么样?”

苏岩疑惑地说:“什么意思?”

朱亮说:“刚才我给曹勇打电话了,我让他一会儿过来一趟。”

苏岩说:“你让他到这儿来?”

朱亮点了点头。

苏岩心想,你咋这么好意思呢!他看了看郭鸣武,郭鸣武急忙把头扭向一边。这帮写字的真会安排。事到如今,苏岩只好硬着头皮等曹勇过来。

曹勇进屋的时候没有敲门,他是一脚踹开的。他的目光凶恶地扫过屋子里,朱亮和郭鸣武急忙躲闪着。

曹勇大概没想到苏岩会在屋子里，他愣了一下。

苏岩见到曹勇立刻温柔地说道："曹哥，你好！"

曹勇说："你怎么在这儿？"

苏岩客气地说："今天是我请你吃饭。"他把自己主宾的位置让出来，"来，曹哥，你坐这儿。"

朱亮见苏岩这个样子心里凉了。谁说流氓怕警察！他向郭鸣武看了一眼，郭鸣武正低着头吃东西。

曹勇坐下之后，朱亮急忙给曹勇倒了一杯酒。

苏岩恭恭敬敬地说："曹哥，不知道你已经出来了。今天意思意思，给你接一下风。"

苏岩举起杯子象征性地喝了一口。

曹勇举起杯子干了。他见到苏岩没有干杯，威严说道："你也没干呐！"

苏岩说："你知道我不喝酒。"

曹勇像是不愿意了，他说："你这不是敬我吗？"

苏岩急忙说："曹哥，对不起。"他把杯子里的饮料全干了。

曹勇说："你杯子里的不是酒啊！"

苏岩说："对，是饮料。"

曹勇不高兴地看着苏岩，"你这什么意思？"

苏岩满脸谦卑地说："我今天身体不太舒服。"

朱亮和郭鸣武都低下了头。苏岩这哪像警察呀！他们俩觉得曹勇倒像个警察。

曹勇看了朱亮一眼，对苏岩说："你找我就是他的事儿吧！"

苏岩急忙回避道："不是不是。我找你没有任何事儿，就是给你接风。"

曹勇得意地拿起杯子放在朱亮的跟前，意思让朱亮倒酒。朱亮正低着头没看到。

苏岩说："我来。"

苏岩站起身来，拿起了酒瓶，直接把瓶子砸在曹勇的头上。

嘭的一声。

瓶子在曹勇的头上裂开。

朱亮和郭鸣武这之前一直在低着头，等他们抬起头看到的，是曹勇已经趴在了地上，苏岩正用脚踩着他的头。

苏岩的动作也太快了。一个文质彬彬的小白脸转眼间就把人高马大的曹勇打翻在地。

曹勇满脸是血，朱亮和郭鸣武都以为曹勇会破口大骂，奇怪的是，曹勇却一下子没了刚才的威严，低三下四地说："苏哥苏哥，你这是干什么？"

苏岩却满脸杀气，他骂曹勇："操你妈，从监狱出来你感觉地位不一样了是不是？"

曹勇说："苏哥，我错了。"

苏岩说："错你个头！"

苏岩用另外的脚狠狠地踢向曹勇。

曹勇用双手捂住自己的脸。

朱亮和郭鸣武都看不过去了，他们急忙过来把苏岩拉起。

苏岩余怒未消，"你俩给我起来。"

苏岩一伸手，就把郭鸣武和朱亮推到一边。

曹勇继续说着："苏哥苏哥！我错了。"

苏岩一顿乱踹，才渐渐平静下来。他说："曹勇，你刚才说什么，我没听见。"

曹勇说："我错了。"

苏岩说："你哪儿错了？"

曹勇说："我刚才不该和你装！"

苏岩抬起脚，曹勇慢腾腾地站了起来。

苏岩转身笑眯眯地对郭鸣武说:“郭老师麻烦你点儿事儿!你去打盆水!”

朱亮抢先到卫生间打来一盆清水。

苏岩接过水盆放在桌子,向曹勇示意了一下。曹勇急忙走到脸盆前把脸洗净了。洗完脸,他站在桌子边恭恭敬敬地说:“苏哥,我洗完了!”

苏岩疑惑地说:“曹哥,你这脸上的血是怎么整的?”

曹勇指着旁边的椅子,“我刚才不小心摔倒了。我的脸卡在了这个椅子上,椅子上放着一瓶酒,酒瓶碎了。我的脸被划出了血。”

苏岩说:“啊,原来是这么回事儿!”

两个记者这才明白流氓为什么怕警察了。原来警察比流氓更流氓!

7

在公共场合里,当着记者的面把一个人踹得这样鼻青脸肿无论怎么说都是太过分了。曹勇要是较真,把这个事儿捅到公安局纪检委,绝对够苏岩喝一壶的。

起初苏岩没想对曹勇大打出手。可是,见到曹勇那种表现,苏岩心里乐了。曹勇敲诈朱亮本来理亏,见到苏岩客客气气地来平事儿,正常来说,曹勇更应该客气。可没想到曹勇却理直气壮整出一副目中无人的架势。

过了!

这说明,曹勇心虚。

苏岩判断出,曹勇身上肯定有事儿。他表现出这种姿态无非掩盖住内心的胆怯。

像农民了解大粪，苏岩对这些流氓也太熟悉了。于是，他借机给了曹勇一个下马威！他这么做的目的就是为了让曹勇心里彻底没底儿。

苏岩把曹勇修理了一顿，接着把他带到了公安局的审讯室。转眼，曹勇又变成了犯罪嫌疑人。

苏岩给自己的搭档高军发了一个短信，让他马上到单位。高军很快赶到了刑警队的审讯室。他见曹勇呆坐在审讯室里，像什么都知道似的。他问都没问苏岩，就在桌子上的一堆卷宗里找出了一本笔录。他打开笔录，拿出笔，向苏岩示意了一下，表示现在可以开始了。

苏岩走到曹勇的跟前，心平气和地说："怎么样，曹勇，痛快点呗！"

曹勇低着头没吱声。他很了解苏岩，如果苏岩对自己什么事儿都不掌握的话，苏岩绝对不会那样过分收拾自己的。

苏岩抬起曹勇的头，不紧不慢地说着："曹勇，你要是准备和我保持沉默，你现在点点头。我保证不难为你！"

曹勇胆怯地说："苏……哥！"

高军抬腿踢了曹勇一脚："哥什么哥，快点说！"

曹勇又小心翼翼地看着高军。

高军不耐烦地对苏岩说："别跟他废话了，先填个表吧！"

填表就意味着要把曹勇押起来。曹勇吓坏了。现在他刚刚在社会上站稳脚跟，这个时候要是被关进去。他就一点威望也没有了。将来即使出来，也没人再找他去吓唬别人了。这等于断了曹勇的财路。

曹勇说："苏哥，我向你发誓，我没动朱亮一个手指。他给我拿钱都是他主动给我的。"

苏岩说："朱亮是谁呀？"

曹勇无奈地笑着。

苏岩说:“你笑什么?”他转身问高军:“你认识朱亮吗?”

高军摇了摇头。

苏岩说:“你别摇头,你到底认不认识?”

高军说:“我真不认识。”

苏岩又问曹勇:“操你妈,你说的朱亮到底是谁呀?”

曹勇明白苏岩装糊涂是什么意思,这是警告他少拿朱亮说事儿!要说就赶紧说自己的事儿!曹勇低下头不吱声了。

苏岩揪着曹勇的头发:“我再问你最后一遍,你是不是准备要和我保持沉默了?”

曹勇小声地说:“刘元魁和我只是在一个号里呆过,我和他没有什么交往。”

苏岩眯缝着眼睛看着曹勇。

曹勇说:“在号里的时候,他总欺负我。你说,我和他能成朋友吗?”

苏岩把手伸进高军的兜里,掏出了一盒香烟,抽出一支塞进曹勇的嘴里,曹勇急忙拿起桌子上的打火机自己点燃了。

苏岩说:“曹勇,我没问你刘元魁,你还是说说你自己吧!”

曹勇说:“苏哥,你别难为我了。你抓我肯定是想抓刘元魁。但我向你发誓,刘元魁有什么事儿,我是真不知道。”

苏岩说:“真的?”

曹勇说:“骗你,我不得好死。”

苏岩说:“刘元魁有什么事儿,你不知道。那你总该知道你自己有什么事儿吧!”

曹勇说:“苏哥,我就这点儿事儿,至于吗!”

苏岩说:“你到底有啥事儿呀?”

曹勇说:“你不是都知道了吗!”

苏岩说:“我真不知道。你现在告诉我呗!”

曹勇叹了一口气,把最近嫖娼的事儿说了出来。

苏岩说:“你就这么点儿破逼事儿吗?”

曹勇说:“苏哥,你现在要是再知道我有的别事儿,你怎么收拾我都行。”

苏岩笑了,“你看你这个逼样。”

见苏岩笑了,曹勇掏出一支香烟递给苏岩,苏岩摆了摆手,“你自己抽吧!”

曹勇一边抽着烟,一边看着苏岩的脸色。

苏岩说:“你嫖娼的事儿,你看是拘留呢还是罚款呢?”

曹勇说:“罚款吧!”

苏岩把目光移向高军,“你同意吗?”

高军摇了摇头。这套方法他们早就配合默契了。

苏岩说:“曹勇,你别怪我,我本来是不想拘留你,可你高大哥不同意,我也没办法!”

曹勇明白警察这是什么意思,他说:“我好好表现行不行?”

苏岩说:“你想怎么表现呐?”

曹勇无可奈何地说:“我主动检举揭发别人吧。”

曹勇一口气交待了秦晓垒赌博梁庆杰嫖娼庞培吸毒等六个其他人的犯罪线索。

苏岩大喜过望。处理完曹勇后,他和高军连夜又是传唤又是抓人接连破获了好几起案子。两个人美滋滋的,这就是工作成绩!

高军想要扩大战果,他说:“干脆把刘元魁也抓来吧!”

苏岩说:“赶趟,将来再说。”

苏岩没有解释原因。高军也没有问。问也是白问。高军虽然比苏岩年龄大资格老,但什么事儿都得听苏岩的。因为苏岩总能得到破案线索。干他们这种工作要想取得成绩必须得有线索,要不然再辛苦再流汗也都白扯。

高军问苏岩:“这几天咱俩天天在一起,这条线索我怎么不知道?”

苏岩说:“什么线索?”

高军说:“你怎么知道曹勇嫖娼呢?”

苏岩说:“前天晚上,我做了一个梦。我梦到的!”

8

郭鸣武给苏岩打电话要请苏岩吃饭。苏岩说,不是已经请过了嘛!郭鸣武说,上次不算。这次再请一次。苏岩说什么也不去。郭鸣武来到了公安局当面邀请苏岩。苏岩说,我不去了,你要是非请不可的话,你就请高军去吧!郭鸣武说,人家朱亮要请你嘛!你就去吧!苏岩说,朱亮是我爹呀,他请我我就得去呀!郭鸣武说,人民警察说话怎么不文明呢!他最后向苏岩强调道:

“你就去吧!”

郭鸣武的语气怪怪的。

苏岩说:“咋的呀?我去能中奖啊!”

郭鸣武说:“你现在闲着不是也闲着嘛。你放心吧,就是纯粹请你吃饭。再也不让你办任何事儿了。”

晚上苏岩来到了饭店,雅间里除了朱亮和郭鸣武还有风情万种的余楠。

郭鸣武介绍说:“这是朱亮的女朋友。”

苏岩轻描淡写地说:“你好!”他的目光在余楠的脸上划过之后就再也没有停留。仿佛这个美女在他眼里根本不存在一样。

苏岩把注意力都集中到朱亮的身上。

苏岩说:“朱亮,我分析曹勇可能要去找你。”

朱亮说:“已经找了。他把那些钱都还给我了。我说什么也不要,可他非给我不可。苏哥,你说这可怎么办?”

苏岩说:“这些钱本来就是你的,他给你你收下就完了。你不要怕,我估计,他今后不会再去找你麻烦了。”

朱亮感激地说:“苏哥。谢谢你!”

苏岩说:“你要是谢我的话,你就外了。朱亮,你不知道,要说感谢的话,我应该感谢你!”

苏岩把收拾曹勇的经过讲了一遍。他说:“根据曹勇揭发的线索,我破了六个案子,抓了七个人。朱亮,我跟你说,这个月我在刑警队又是破案第一。你说要不是你这个事儿,我能取得这么多成绩吗,你说,我是不是应该谢你!”

苏岩和朱亮夸夸其谈。郭鸣武怕冷落余楠便向余楠献殷勤。他问余楠是喝酒还是喝饮料?余楠看了看苏岩的杯子。苏岩一直在喝着饮料。

郭鸣武说:“要不,你也喝饮料?”

余楠说:“给我倒酒吧!”

席间,朱亮、郭鸣武不时地举杯敬酒。余楠响应号召,回回都跟着干了杯中的酒。

余楠不苟言笑,落落大方。她的一颦一笑有着夺人心魄的力量。苏岩嘴上和朱亮说着话,但心却被余楠勾走了。

朱亮不知道苏岩在想着他的女朋友,他的目光里充满了敬佩,他说:“苏哥,你真了不起!”

苏岩心说,你有这么出众的女朋友,你才了不起呢!

苏岩说:“我有什么可了不起的,真正了不起的是你们这些记者。”

苏岩看了一眼郭鸣武,顺势也看了一眼余楠。

余楠不动声色地迎接着苏岩的目光。

郭鸣武接过苏岩的话,“我们记者有什么可了不起的?”

苏岩开始赞美记者如何崇高如何伟大。他说:“不骗你们俩,我从小就想当记者。”

朱亮说:“苏哥,我和你正相反,我从小就想当警察。”

苏岩说:“是吗!警察有什么意思啊?你没当,你要是当上就感觉没意思了。”

郭鸣武说:“苏岩,记者也一样。你要是当上吧,也会感觉没意思。”

苏岩说:“不可能。你们记者多风光啊,到哪都是领导接见。”

郭鸣武说:“这有什么用啊!”

苏岩说:“你们认识的都是领导还会没用?”

郭鸣武说:“一点用都没有。苏岩,我不骗你,我们和领导的关系都是表面的。你看他们见到我们都一个个满脸带笑,可回头找他们去办点什么具体事儿,根本就不好使。”

男人们兴致勃勃地讨论着工作,余楠则静静地坐在旁边不动声色地看着他们。

苏岩觉得应该和余楠多少象征地聊上几句。要不然,心里太痒痒了。可是苏岩这时却没了勇气。从一开始,他就和男人们喋喋不休,现在突然要是把注意力转移到女人的身上,这不是做贼心虚嘛。

苏岩感觉这顿饭吃得有点费劲。席间,他接了一个电话。苏岩利用接电话的时机来到了饭店的卫生间。

苏岩站在镜子前面用凉水洗了一把脸。凉水让苏岩平静下来。重新回到酒桌上,苏岩好多了。除了与郭鸣武、朱亮聊天之外,他和余楠主动交谈起来。苏岩问她的单位也问她过去的学校什么。苏岩的语调平稳、镇定,完全是长辈的那种口吻。

余楠回答完苏岩的问题之后,客气地说:“朱亮的事儿让你费心了。谢谢你。”

余楠拿起酒瓶给苏岩要倒酒,苏岩急忙说:“对不起,我不喝。”

余楠说:“啤酒怕什么!我们都已经喝三瓶了。”

苏岩说:“我和你们不能比啊!”

这时,余楠已经给苏岩倒了一杯啤酒,郭鸣武在旁边说:“苏岩,那你就喝一杯吧。你就当余楠是你们局长不就完了。”

苏岩不高兴地说:“你这什么意思?好像我喝酒分人似的。”

郭鸣武说:“你本来就分人嘛!”

当着余楠的面,被揭穿老底。苏岩很下不来台,他瞪着郭鸣武:“郭老师,求你点事儿,行吗?”

郭鸣武说:“啥事儿?”

苏岩说:“你不是能喝吗,这杯你替我喝了吧!”

苏岩把杯子当地放在了郭鸣武的面前。

苏岩目光里露出了几丝凶恶。郭鸣武紧张了。从看到苏岩在眨眼间把曹勇干倒之后,他就对这种目光有点胆怯。他真怕苏岩当着余楠的面把自己也撂倒。

郭鸣武拿起苏岩的杯子对余楠自嘲地说:“看没看见,警察不仅欺负坏人,也欺负好人。”

余楠说:“郭鸣武,你把杯放下。我倒的酒,你喝算怎么回事儿?”

这时,朱亮小声地对余楠说:“苏哥确实不能喝。”

余楠瞅都没瞅朱亮,“去去去。没你事儿!”

朱亮满脸通红,一声不吭。

余楠从郭鸣武手里抢过杯子，严肃而认真地看着苏岩："这杯酒，你真喝不了吗？"

苏岩说："我真喝不了。"

余楠啪地把杯子里的酒泼在了地上。

朱亮满脸尴尬。但他还是没吭声。

郭鸣武不高兴了，"余楠，你这是什么意思？我们今天是请苏哥喝酒。"

余楠说："请他喝酒，他不喝呀！开始到现在，不就光咱们三个人喝嘛！怎么的，喝酒还得分人呀！"

苏岩有点懵了，他愣愣地看着余楠。余楠毫不妥协地迎接着苏岩的目光。

苏岩说："对不起。我喝酒过敏。"

余楠说："你和你们局长喝怎么不过敏呢？"

苏岩说："我和我们局长喝也过敏！"

余楠说："才不是呐！你就是和我们太能装了。"

苏岩说："我和你们装什么了？"

余楠说："装你了不起呗！"

苏岩真想把酒泼在余楠的脸上，他控制住自己，平静地说："这么的吧，我现在补上行了吧！"

苏岩给自己倒了一杯啤酒，一饮而尽。

余楠并不领情，"你早就应该这样。"说完，她站起身拎起自己的小包离开了雅间。

三个男人面面相觑。

朱亮埋怨郭鸣武："我说不让她来，你非让她来！"

郭鸣武说："我寻思不是让她陪陪你苏哥嘛！谁知道她这么爱挑理呀！"

朱亮满脸愧疚地看着苏岩："对不起，苏哥。她就这个脾气，和谁都这样。”

苏岩满不在乎地说:“朱亮,别多想。不怪你女朋友挑我理,我确实太能装了。”

这饭被余楠搅得也没法往下吃了。

苏岩说:“我单位还有点儿事儿!今天就到这儿吧!”

郭鸣武搭苏岩的车回家。

路上,苏岩把肚子里的怨气全都撒在了郭鸣武的身上:“今后你少给我揽事儿!”

郭鸣武满脸歉意,“你看朱亮不是哥们嘛!”

苏岩冷笑道:“你快得了吧!你安什么心,别以为我看不出来。”

郭鸣武说:“我安什么心了?”

苏岩无情地揭露道:“你保证对余楠有意思了!”

郭鸣武不自然了,“别……胡说。”

苏岩说:“我说你怎么对朱亮的事儿这么用心,原来你是看上了人家的女朋友!”

郭鸣武说:“你别胡说。”

苏岩说:“郭鸣武你保证是这个意思。你说是让余楠来陪我,其实你是想让余楠陪你。你呀你呀可真无耻!你怎么连朋友的老婆都惦记呢!”

郭鸣武被苏岩说懵了,他顺口说道:“他们还没结婚呢!”

9

徐广泽到电视台找王晓光。王晓光的工作非常忙,一般只能在台里的会客厅与徐广泽闲扯几句就拉倒。徐广泽离开王晓光就去与自己的小心肝约会。这样,万一黄敏质问徐广泽干什么去了？徐广泽就说到电视台找王晓光了。黄敏一般不会打电话问王晓光的，即使问的话，也最多问老徐去找你了吗？黄敏不会问诸如你们一共谈了多长时间那么细的问题。徐广泽认识的朋友大多说话没准，王晓光与苏岩是黄敏比较认可的。徐广泽为了欺骗黄敏只能在这两个人身上下功夫。

王晓光见徐广泽又来了，就问他："你最近怎么老来找我呢？"

徐广泽说："我想找你聊聊！"

王晓光说："聊什么呀？"

徐广泽说："我想和你聊艺术！"

王晓光笑了，"你懂艺术吗？"

徐广泽说："不懂，我可以学嘛！"

往常只要一和王晓光谈艺术，王晓光就烦了。接着，就把徐广泽撵走。但这次，王晓光却很有耐心。他向徐广泽谈了最近拍摄的一部专题片。王晓光谈得津津有味，徐广泽却烦坏了。他的小心肝正等着他呢！王晨每天上午十点半上班，徐广泽必须在这之前赶到才可能得到全身心的满足。可时间就这么一分一秒地过去了，王晓光丝毫没有结束的意思。

王晓光说："徐老板，你来和我谈艺术，我发现你怎么心不在焉呢？"

徐广泽说："没有啊！我一直在听呢！"

王晓光说："你听个屁了。你一直在看表。"

徐广泽有点不自然，"没有。"

王晓光说："老徐，你跟我说实话，你来找我到底啥意思？"

徐广泽说："你说啥意思？我不是想你了嘛！"

王晓光说："你是想我了，还是想别人了？"

徐广泽说："你这啥意思？"

王晓光说:“黄敏前天给我打电话问我你是不是总来找我?”

徐广泽说:“你是怎么说的?”

王晓光说:“我说你从来就没找过我。”

徐广泽知道王晓光在开玩笑,他要是真这么说的话,黄敏早就和自己打翻天了。

徐广泽嘿嘿地笑着。

王晓光说:“你是不是利用看我的机会,去搞破鞋了?”

徐广泽说:“说话文明点儿!”

王晓光说:“你现在和谁搞上了?”

徐广泽说:“你看我像那样的人吗?”

王晓光说:“正因为你不像,你才有可能呢!”

徐广泽笑了,“这叫什么逻辑?”他心平气和地说道:“我你还不了解吗?这些年你看我什么时候和女人搞过?说我搞女人,没人会相信。”

王晓光说:“正因为没人相信,你才会去搞呢!因为就算你真的搞了,别人也会认为你没搞。既然这样,你何乐而不为呢?”

徐广泽心说,还是王晓光了解我呀!但他嘴上说:“王晓光,你不要说没用的了。我知道你是在和我开玩笑。其实,我是什么样的人,你最清楚了。不说别的,我都这个岁数了。年轻的时候,我都没搞。现在搞了,不是晚节不保嘛!我女儿长得都快比我高了,你说,我要真是整出什么绯闻来,我拿什么脸面去见孩子呀!”

徐广泽说得情真意切,但王晓光却说:“我怎么感觉你说的像是电视剧里的台词呢!”

两个人在嘻嘻哈哈中,上午的时间就过去了。徐广泽见到大势已去,索性安下心来与王晓光大谈特谈。中午了,徐广泽要请王晓光吃饭,王晓光说没时间。

徐广泽说："一上午你不都有时间嘛！"

王晓光说："中午，我真没时间。"

徐广泽说："中午，苏岩也来。"

王晓光说："是吗。那好吧。"

徐广泽给苏岩打电话请他吃饭。

苏岩果断地推托道："不行。中午没时间。"

徐广泽说："看把你吓得，找你没别的事儿。"

苏岩说："我真没时间。"

徐广泽说："不是我要请你，是王晓光想要和你聊聊！"

苏岩马上说："是吗！那行。"

徐广泽没有在自己的饭店里请客，他还是在昆都饭店订了一个雅间。吃饭的时候，王晓光与苏岩亲切交谈，谁都不怎么答理徐广泽。好像徐广泽压根儿不存在一样。徐广泽也不生气，坐在旁边自斟自饮。

王晓光想要拍一部与众不同的公安片，希望能得到苏岩的配合。苏岩给他讲了自己亲身经历的一些案例。

王晓光说："你经历的我不感兴趣。我想要拍的是完完全全纪实的。"

苏岩说："这可不太好办。"

王晓光说："好办，下次你们再抓人的时候，我跟你们一起去。"

很多案子事先根本没把握一定能抓到人。苏岩的意思是说，等我们把人抓到之后，你重新拍一次不就完了。到时候，可以搞一个模拟的。这种方法其他记者都这么用。

王晓光说："太假了，我不想这么拍。我要拍的话，就纯粹是纪实的。我要用事实说话。"

苏岩说："没必要。"

事后模拟拍的话,可以把领导找来拍进去,这样就能突出领导在破案中所起的作用。

王晓光说:"要是这样的话,我宁可不拍。"

王晓光拍过不少电视纪录片,多数都能让观众热泪盈眶。公安局的领导非常希望王晓光也能为警察拍出一部这样感人的片子。局长特地指示苏岩要配合好王晓光。可王晓光挺倔,非得按自己的意思拍。

苏岩说:"我们领导对你这么重视,你不把领导拍进去,你这个片子拍得就没意义了。"

王晓光说:"苏岩你不懂艺术,越是不直接拍你们领导,越能突出你们领导的作用。"他为了说服苏岩还举了一个电视剧的例子:"你看没看过《激情燃烧的岁月》?"

苏岩说:"没看过。"

王晓光说:"这么有名的电视剧你都没看过?"

苏岩说:"我们太忙了,哪有时间看电视剧呀!"

王晓光说:"那你找个时间去看看吧!"

电视剧《激情燃烧的岁月》描写了一个感人的军人,王晓光想要拍出一个警察与那个军人比试一下。

苏岩说:"人家拍的电视剧,你拍的是纪录片。你没法和他比。"

王晓光却说:"我虽然拍的不是电视剧,但我一定要拍出电视剧的效果。"

苏岩说:"把纪录片拍出电视剧不大可能吧!"

王晓光说:"有这个可能。"他详细地说出了自己的计划。他要在这部电视片中围绕着苏岩拍摄。

苏岩说:"这可不行。"

王晓光说:"没什么可不行的。现在拍你们警察的全都是围绕着案子，根本就没有把你们警察当人的。我这么要是拍出来，保证就能拍出电视剧的效果。”

苏岩说：“你想出什么效果我管不着，但你千万不能来拍我。”

王晓光说：“拍你怕什么？”

苏岩说：“我们领导指示我配合你来拍的是我们全体警察。可最后拍出的全都是我，你想，我今后还怎么在公安局混呐！”

王晓光说：“你想多了。我拍的虽然是你个人，但从你的身上一样能体现出你们全体警察的风貌。”

苏岩说：“那你就拍我们领导多好啊！我们陈局长身上的故事比我有意思多了。上次9·3系列杀人案，如果不是他上来线索，整个案子就废了。我说的这些可都是真的。”

王晓光说：“我知道是真的，但你说的这些要是放在领导的身上，我拍出来，老百姓不相信！”

苏岩说：“不能吧！”

王晓光说：“这些吧，我就不跟你细说了。我这么做也是为了你们公安局的领导考虑。只不过我是通过艺术的方式更好地体现你们领导的意图。苏岩，你要想完成你们领导交给你的任务，你只要好好配合我就完了。当然了，咱们毕竟搞的是艺术，所以，你配合我要严肃认真一丝不苟啊！”

王晓光提出了很多具体要求。

苏岩说：“搞艺术有必要这么认真吗？”

王晓光说：“当然有必要了！”他看了一眼旁边的徐广泽，旁敲侧击道：

“搞艺术和搞女人是一个道理。要心往一块想，劲往一处使！”

10

吃完饭，苏岩开车把王晓光先送回了单位。接着送徐广泽回自己的饭店。徐广泽说："你和我去喝茶吧！"苏岩说："不行。我得回单位。"苏岩迅速地把车开到了海鲜世界的门前。但徐广泽就是不下车。

苏岩说："求求你，赶紧下去吧！我回单位真有事儿！"

徐广泽小声地说："苏岩，你觉得王晨这个女孩怎么样？"

苏岩说："你这啥意思？"

徐广泽说："我想让你帮着给王晨找个男朋友！"

苏岩说："王晨这么漂亮找男朋友还用得着我吗！"

徐广泽说："王晨想要找你这样的。"

苏岩急忙表明态度，"徐老板，我跟你说实话。这个王晨吧，我还真挺喜欢。但喜欢归喜欢，我不能和她谈恋爱！"

徐广泽说："为什么？"

苏岩说："你还不知道我妈吗！她对我找女朋友有要求，必须要有大专以上的文凭。"

徐广泽叹了一口气，"是吗！"但他还是希望苏岩和王晨再接触接触。

苏岩说："为什么？"

徐广泽说："既然你已经假装和王晨在谈恋爱，怎么的，你也得再继续装一装啊！要不然，黄敏不相信啊！"

苏岩说："行了！你还让我装什么呀！再装就变成真的了！"

徐广泽说："不会的。"

苏岩说："你别让我为难了。王晨本来对我印象挺好的。我老去挑逗她，将来她该以为我是流氓了！"

徐广泽说:“也没说让你去挑逗她呀！你看这样行不行,找个时间,你领她出去玩玩怎么样?”

苏岩说:“那更不行了。”

徐广泽还要央求苏岩,这时,苏岩忽然接到了余楠的电话。

余楠说:“苏岩吗?”

苏岩说:“对。您是哪位?”

余楠说:“我是余楠。”

苏岩说:“余楠？对不起,我不认识你。”

余楠说:“我要向你反映一个破案线索!”

苏岩说:“那好啊！你到我们公安局刑警队来吧！我在431办公室。”

苏岩放下电话对徐广泽说:“有群众向我们报案,我得马上回单位去搞案子了。”

徐广泽说:“你刚才说不是说不认识她吗。你让高军去搞这个案子不就完了。”

苏岩说:“净开玩笑！你赶紧下车吧!”

苏岩把徐广泽推下了车。

徐广泽下车后对车里的苏岩说:“你还挺认真呢!”

苏岩学着王晓光的语气说道:“我们搞案子就像搞女人一样,要严肃认真,一丝不苟!”

11

苏岩在办公室一直等到下班之后,余楠才姗姗来迟。当时,苏岩正一个人低头整理着卷宗。他抬起头看到余楠后,像是恍然大悟似的,“原来是你呀！刚才我还寻思呢,给我打电话的这个余楠到底是谁呢?”

余楠乖巧地走到苏岩的跟前，嗔怪地说："刚认识，就把我忘了。"她把手里的包放在了桌子上，环顾着屋子里的摆设。她那感觉好像和苏岩已经很熟了。

苏岩说："你和朱亮一起来的？"

余楠说："没有。我自己来的。"她的目光里充满温柔，她无比自然地说道："刚才我进你们公安局大门的时候，收发室的大爷以为我是你的女朋友呢！他对我可热情了。"

余楠的异反常态，让苏岩很不适应。

苏岩说："你找我有什么事儿吗？"

余楠说："我来是向你道歉的！"

苏岩说："道什么歉呀？"

余楠不好意思地笑了，"是昨天在酒桌上对你那个态度，我……太过分了。对不起！"

苏岩说："这不怪你，谁让我那么能装呢？"

余楠小声地说："你没装，其实是我在装。你帮朱亮办了那么大的事儿，我们请你吃饭，你不喝酒很正常！我当时明知不应该和你那样，可我……咳，我是没办法！"

难道有人在逼迫余楠这样做？

苏岩说："我不太明白你说的意思。"

余楠说："我这个人在男人面前装惯了。我这个毛病朱亮、郭鸣武都知道。我当时要是不和你装一下的话，就不太正常了。好像我对你……有好感似的！"

余楠这时脸上微微泛起红润。

苏岩依然不动声色地说："那你为什么总和男人装呢？"

余楠说："每次吃饭，总有男人向我献殷勤。我要是不装的话，他们就没完没了。"

苏岩说："昨天我也没向你献殷勤呐！"

余楠温柔地说:“你看我不是都向你道歉了嘛!”

余楠与昨天判若两人。她还拿起桌子上的一块抹布认真地擦拭着桌面。

苏岩说:“你的意思我基本上搞清楚了。你是说,你和别的男人装是为了防止他们骚扰你,你和我装你呢,是想和我有进一步的交往,是这个意思吗?”

余楠小声地说:“知道了还说出来干什么?”

苏岩不紧不慢地说:“余楠,你和我交往是想要求我办什么事儿吧?”

余楠没出声。

苏岩说:“有什么事儿,你尽管说!”

余楠说:“我有一个特别要好的朋友,这几天她发现她丈夫好像有点问题。她想让我帮着给看一看,我看了,但我没把握,我就想让你帮帮忙!”

余楠从自己的兜里掏出了一个塑料袋,打开后,是一件男人的衬衣。余楠把衬衣放在了桌子上。接着,她把衬衣展开,她指着领口处:“你帮我看看这是什么?”

领口处有一圈红色的印迹,明显是一个女人的唇印。

苏岩用目光扫视了一下余楠。

余楠的嘴唇上也是这个颜色的口红。

苏岩说:“对不起,我看不懂。”

余楠说:“你说会不会是口红?”

苏岩说:“看不出来。”

余楠说:“你不是警察吗?”

苏岩说:“我不是学这个专业的,这得让我们技术科搞痕迹的警察去看一看。”

余楠说:“那你帮忙让他们给看一看呗!”

苏岩说:“我和他们不熟悉。”

余楠说:“你们不都是一个单位的吗?”

苏岩说:“一个单位的也不熟!你不知道,他们这些搞技术的,都可能装了!你还不如让朱亮和郭鸣武去找他们好使。”

余楠苦笑道:“好吧,这个事儿就不麻烦你了。”她把桌子上的衬衣包好放进了自己的包里,起身站了起来。

苏岩说:“慢走,不远送了!”他低头继续整理着卷宗。

余楠走到门口忽然转身对苏岩诚恳地说:“请你吃饭行吗?”

苏岩抬起头,说:“行是行,可问题是我没时间呐!”

余楠说:“你忙什么呀,没时间?”

苏岩指了一下手中的卷宗,“我得把这些全都整完!”

第二章

1

朱亮打电话向苏岩表达了歉意。说那天余楠太过分了实在是不好意思希望能请苏哥吃顿饭,并强调说,这是他女朋友余楠的意思。苏岩推托着,说自己太忙了,没时间。朱亮说,苏哥求求你,你就抽点儿时间吧! 朱亮的语气十分恳切。苏岩考虑了一下最后答应了朱亮。

苏岩给徐广泽打了一个电话,他假惺惺地问王晓光办公室的电话是多少? 徐广泽热情地告诉了苏岩。并说,如果苏岩要是请王晓光吃饭,就到海鲜世界来吧! 苏岩说那多不好意思。徐广泽说,多大个事儿呀!

两个人说着说着,徐广泽又提出让苏岩最好再和王晨接触接触,以便彻底消除黄敏的怀疑。

苏岩说:"我上次当着黄敏的面特意拍了好几下王晨的肩膀。"

徐广泽说:"那还不够。你最好找个什么机会来接王晨出去一趟。"

苏岩说:"我领她出去,也没借口啊!"

徐广泽说:"这还要什么借口呀! 行了,你这是在跟我找借口,这么的吧,借口呢我去和王晨说,你只负责去接她就完了。"

苏岩开车来到了海鲜世界门前,王晨已经穿着鲜艳的连衣裙正等着他。

王晨上车后,苏岩问她:“咋不穿旗袍呢,你穿旗袍好看。”

王晨说:“穿旗袍像服务员。”

苏岩说:“你和黄姨是怎么请假的?”

王晨说:“我说你妈来了,你要我和你去见见你妈!”

苏岩愣住了。

徐广泽告诉王晨,苏岩没钱了向母亲要,母亲不给。苏岩骗母亲说,他要钱是为了谈恋爱。母亲不信就要来看看。苏岩没办法让王晨临时当一下自己的女朋友。

苏岩心想,徐广泽这个王八蛋编得还挺像那么回事呢!

王晨说:“我给你当女朋友,你妈能相信吗?”

苏岩说:“差不多吧!”

王晨说:“你妈要是问我的话,我都说什么呀?”

苏岩说:“王晨,今天不是我妈要见你!是这么回事儿。我有两个好朋友,非得要给我介绍对象!我说我已经有了,可他们不相信。没办法,我就寻思让你给我假装当一回。”

王晨说:“人家给你介绍对象,你为什么不同意啊?”

苏岩说:“多麻烦呐。”

王晨说:“你是不是眼眶太高了?”

苏岩说:“不是。”

苏岩和王晨来到了饭店里,朱亮和余楠已经在恭候了。苏岩介绍说,“这是王晨。”王晨笑眯眯地向他们点了点头。朱亮看着王晨说:“我怎么好像在哪儿见过你!”王晨说:“是吗!”她显得不太自然,她不想让别人知道自己是饭店的迎宾员。虽然这个身份比服务员要高档,但毕竟还是属于为别人服务的。

朱亮还想问什么,余楠急忙接过话,“朱亮,你赶紧让服务员走菜吧。我都饿死了。”接着她让王晨坐在自己的身边，亲切地交流起来。她和王晨很快就有说有笑。

余楠的注意力全都放在了王晨的身上，她为王晨夹菜为王晨倒饮料。好像雅间里只有她们两个女人。

苏岩和朱亮也亲切地交谈起来。

朱亮喝着啤酒，苏岩喝着饮料。他敬苏岩说，苏哥，都在酒里，我就不说什么了。

苏岩说，你太客气了。

朱亮干了啤酒，苏岩干了饮料。

苏岩问朱亮的工作最近怎么样？

朱亮说，不怎么样。他说，他才来报社，社会上也没什么关系。有些好的新闻线索，他得不到。像他这样新闻记者没有线索，根本没法开展工作。

苏岩说：“你们这个工作有点像我们似的。我们也是没线索的话，就不能破案了。”

苏岩和朱亮交谈的同时，余楠和王晨也说得热热乎乎的。

余楠说，王晨，你的皮肤真细腻。她伸出手在王晨的胳膊上摸了摸。她建议王晨用一个什么牌子的护肤霜。王晨没听说过。余楠就从兜里拿出一个精美的小瓶。她挤出少许，涂在王晨的手上让王晨感受感受。王晨说，是挺不错的。余楠把护肤霜放进王晨的兜里，“这是新的，你拿去用吧！”王晨说，“别别别。”余楠笑了，“客气什么呀！”余楠用眼角瞟了一下旁边的苏岩，接着又谈起了眉毛，她说，王晨，你的眉毛可真秀气。她问王晨平时都在什么地方做美容？王晨说了一家。余楠先说那家不错她也净去，接着又巧妙地建议王晨到另外一家更高档的。余楠说她认识那里的老板娘，去的话，可以打折。还说，王晨要是去的话，她可以领王晨去。

余楠与王晨说话的声音很小，苏岩由于坐在她们一侧，所以，他也能听得很清楚。但苏岩听着听着，就有点听不进去了。

余楠对王晨说，你的身材很好。但平时要多注意一下胸部。王晨的胸不是丰满的那种。王晨就小声地说，注意也没用的，这是天生的。

余楠说，过去她的也不大，但现在就好多了。王晨就问余楠如何变的？余楠教给王晨一套如何用手按摩自己胸部的方法。余楠的声音非常非常小，什么四指并拢用指肚由乳头向四周呈放射状按摩；什么用左手掌从右锁骨下向下推摩至乳根部，再向上推摩返回至锁骨下……

余楠说的时候，王晨听得十分认真，有的地方，她想要用笔记下来。余楠说，你不用记，哪儿不会，你给我打电话就行！

苏岩领王晨本以为会让余楠不知所措，没想到却是现在这个样子。他看了看表对朱亮说，今天就到这儿吧！

朱亮说，急什么！一会儿咱们去唱歌吧！

苏岩说，不了，太晚了。

朱亮还要说什么，苏岩向朱亮做了一个暧昧的眼色，意思他一会儿还要和王晨那样呢！朱亮就笑了，他说，那我们就不打扰了。

朱亮、余楠送苏岩、王晨上了车。

余楠隔着窗户还和王晨窃窃私语，苏岩按了一下喇叭开车离开了。

苏岩问王晨回哪儿？王晨想了想说，到花园小区。苏岩说，你家住在花园小区呀？王晨没回答。她听着车里的音乐像是在想着什么。

来到了小区门口停下了车，王晨没有马上下车。苏岩也不好意思撵王晨。车里的音响中，一个嘶哑的声音唱着一首哀伤的歌曲。

王晨说:“这个余楠怎么不和你说话呢?”

苏岩说:“不是说了嘛!”

王晨说:“没说。她光跟我说了。她可真能说。那个记者是她男朋友啊?”

苏岩说:“对!”

王晨说:“余楠跟他可白瞎了。”

苏岩说:“她这样的跟谁不白瞎呀?”

王晨说:“跟你就不白瞎!”

苏岩不动声色地看着王晨。

王晨说:“你瞅什么?”

苏岩说:“我现在对你要重新认识了!”

王晨笑眯眯地说:“咋的了? 是不是让我看出来了,你就觉得挺难堪的是不是?”

苏岩说:“你看出什么了?”

王晨说:“你心里有鬼!”

苏岩不太自然,“我心里有什么鬼呀?”

王晨看了一眼车上的电子表,“你晚上还有什么活动吗?”

苏岩说:“没有啊!”

王晨说:“那你领我去玩玩呗!”

苏岩说:“玩什么?”

王晨说:“想玩什么就玩什么呗!”

苏岩没吱声。

王晨说:“你一会儿肯定有活动。”

苏岩说:“什么活动?”

王晨说:“我感觉你要和谁去约会。”她轻轻地叹了一口气,“行了,我不打扰你了。”

王晨下了车，慢慢地向小区的大门走去。

2

余楠给苏岩打电话。

她问苏岩，说话方便吗？

苏岩说，方便，你说吧！

余楠说，我想请王晨吃饭，你允许吗？

苏岩说，你愿意请就请吧！

余楠说，那你能告诉我她的手机号吗？

苏岩说，我也不知道。

余楠说，王晨当时还真告诉我来的，但我给忘了。我现在只是知道王晨在海鲜世界。要不，我直接去找她，你看行不行？

看起来，余楠早就知道王晨的身份。

苏岩说，你请她吃饭有什么目的吗？

余楠说，我和她挺投脾气的。

苏岩说，你别请她吃饭了。

余楠在电话里不出声了。苏岩也不出声。两个人僵持了一会儿。苏岩说，你看这样行不行，咱们俩去吃吧！

余楠没出声放下了电话。她发来一条短信：昆都，玫瑰厅。晚上六点。

苏岩不到五点半就来了。他搞不准朱亮会不会来。他把车停在饭店门前的一个角落里，观察着门前来来往往的人流。差十分六点，余楠坐着出租车来了。她一个人走下了车，进了饭店的大门。苏岩等了一会儿，才随后进去。

苏岩进雅间的时候，余楠刚刚点完菜。服务员拿着菜单正念着。

余楠问苏岩，我点的这些菜行不行？

苏岩说，行。

服务员问余楠酒水。余楠歪着头问苏岩？苏岩说，咱们就喝茶吧！余楠说，好，听你的。

服务员出去了。

余楠说，我以为你还得领着王晨来呢！

苏岩笑呵呵地说，不是说好就咱俩嘛！

余楠说，就是。上次你都多余带她来。你和我说实话，她是你什么人呐？

苏岩说，女朋友啊！

余楠说，不像。

苏岩说，真的。我们才处时间不长。

服务员把饭菜端上来之后，就站在旁边。

余楠对服务员轻声地说，你忙去吧，有事儿我叫你！

服务员退了出去。

余楠脱下外衣，露出里面的衬衫。衬衫是半透明的，里面坚挺的乳罩清晰可见。

余楠走到苏岩的跟前，拿起茶壶给苏岩的杯子倒满茶水。

苏岩说，谢谢。

余楠说，不客气。她端起自己的茶杯，温柔地看着苏岩，来，干一个？

两个人干了杯子里的茶水。

苏岩诚恳地说，余楠，你能告诉我，你总找我是什么意思吗？

余楠继续温柔地看着苏岩。

苏岩说，你现在告诉我呗！

余楠说，我给你出一道题吧！一只老虎追五只山羊。五只山羊分别跑进了五个山洞里。老虎追过来站在五个洞口前徘徊了一阵，最后，它选择了第三个洞钻了进去。洞里的这只山羊被老虎抓住之后，十分不理解，它问老虎，你为什么要偏偏选择这个洞？

苏岩问，是呀，为什么呢？

余楠回答道，我愿意！

苏岩笑了起来。他拿起茶壶给余楠满上了茶水，余楠拿着茶杯默默地看着苏岩。

苏岩说，来，干一个。

余楠说，你说咱俩是不是应该喝点酒？

苏岩说，好啊！

余楠喊进服务员要来一瓶啤酒，服务员又拿来两个玻璃杯分别满上。

余楠端起酒杯看着苏岩。

苏岩急忙拿起杯，与余楠碰了一下。

余楠一干而进。

苏岩拿着杯却没喝。

余楠大度地说："你要是喝不了，意思意思就行。"

苏岩说："我喝倒是能喝了，问题是，我现在不能和你喝。"

余楠说："为什么？"

苏岩说："因为你不值这杯酒。"

余楠愣住了，她说："我怎么不值了？"

苏岩说："你太不要脸了。"

余楠满脸通红，"我……不要脸？"

苏岩说："你是朱亮的朋友，你竟然背着他请我吃饭！你说你要脸吗？"

服务员和余楠全都呆呆地看着苏岩。

苏岩这时目光如炬，他轻蔑地扫视了余楠一眼，起身离开了雅间。

3

早晨上班不久，黄敏到单位来找苏岩。苏岩觉得很奇怪。他说，黄姨有事儿吗？

黄敏脸上挂着歉疚。她说，苏岩，你和王晨现在到什么程度了？

苏岩说，怎么了黄姨？

黄敏说，没怎么的，我就是随便问问。

苏岩说，黄姨你问这个干什么？

黄敏叹了一口气，苏岩呐，黄姨对不起你。

苏岩说，到底怎么了？

黄敏的眼睛湿润了，她说，老徐不是人！

苏岩说，到底发生什么事儿了？

黄敏说，老徐和王晨可能不太正常。

苏岩说，不能吧！

黄敏说，肯定的。苏岩，我和你说实话吧，徐广泽可能是领着王晨走了。

苏岩说，走了！干什么去了？

黄敏说，他们私奔了。

苏岩说，黄姨，你别着急。怎么回事儿，你和我慢慢地说。

黄敏就说从昨天上午到现在，徐广泽和王晨既没有回家也没有回饭店。

苏岩笑了，黄姨，你想多了！你家老徐我估计可能是喝多了。

黄敏说，苏岩，你别不当回事儿。不信，你现在就给王晨打个电话。

苏岩说,我不用打。你肯定是误会了。黄姨,这样吧,你先回去。我帮你找找,一有徐广泽消息,我马上告诉你!

苏岩把黄敏劝走后,立刻向队长赵民进行了汇报。

赵民吓了一跳,他说,徐广泽不会让人绑架了吧!

苏岩说,悬呐!

赵民说,你赶紧和高军去查查。

苏岩开车拉着高军来到了房产登记处。他们调查了徐广泽是否还有其他房子。结果没有。苏岩对高军说,刚才黄敏告诉他,徐广泽和王晨关系暧昧,你说徐广泽会不会给王晨买了一套房子?

高军说,那就查查王晨呗!

把王晨的名字输入电脑里之后,很快就查了出来。地址正是苏岩那天晚上送王晨回去的花园小区。

4

王晨的房子是五号楼三单元四零二。

苏岩和高军敲了半天门,里面一点动静也没有。

高军说:“要不叫辆消防车吧!让他们用云梯从窗户里进去。”

苏岩说:“叫什么?”

高军说:“消防车啊!”

苏岩说:“我看你像消防车!”

苏岩白了高军一眼,然后给陈传辉打了电话。陈传辉拎着一个小包很快赶来了。陈传辉问开哪个门?

苏岩指了一下四零二。陈传辉拿出各种开锁的工具认真地开着锁。陈传辉号称锁王，什么锁都难不倒他。这些人都属于公安局重点监控的人物，平时他要是出来为客人开锁，必须要有当地派出所的民警在场。陈传辉开了十分钟，也没打开。

苏岩说："你不是锁王吗？"

陈传辉说："我有点紧张。"

苏岩说："你紧张什么？"

陈传辉说："每次你们警察让我开锁，我都紧张。"

又过了十分钟，锁总算被打开了。

苏岩和高军用塑料袋套好了鞋推门要进去。

陈传辉说："我回去了。"

苏岩说："你等会儿。里面的门弄不好也锁上了。"

陈传辉说："里面我就不进去了。我怕死人。"

苏岩说："你怎么知道里面有死人？"

陈传辉说："你们警察每次找我开门，屋子里都会有死人。"

苏岩说："别瞎说。你在门口等着。"

这是两室一厅，进屋之后，首先是大约二十平方米的客厅。客厅装修得豪华气派，尤其地板非常讲究。从窗外射进来的光线照在上面十分柔和。

徐广泽和王晨就躺在这光洁的地板上。他们的身边有一个已经碎裂的花盆。他们俩应该是被这个花盆砸倒的。

王晨趴在地板上的姿势很性感。她穿着高跟鞋，腿上没有袜子，皮肤光洁细腻。腰下的裙子掀了起来，一条小小的三角裤勉强地遮住大腿的根部。

王晨的头部流了不少血，血已经凝固，像油漆一样。她的呼吸和脉搏都已经停止。

徐广泽的情况好许多，他的头部没有出血，呼吸和脉搏都还在。

苏岩向120急救中心打了电话，并向队里做了汇报。

刑警队的技术科首先赶到了。里面有法医、照相、痕检等专业现场勘察人员。

120救护车来了之后，法医帮着把徐广泽抬出了屋子。

徐广泽被拉走抢救，技术科勘察现场。其他侦察员开展外围调查。

苏岩忙乎了半天才想起了陈传辉。

苏岩给陈传辉打电话，“你怎么走了呢？”

陈传辉说：“我看你们把人都抬出来了。”

苏岩说：“你马上回来。”

陈传辉说：“还有事儿吗？”

苏岩说：“你回来吧！”

陈传辉又回到了花园小区。小区里停着不少警车。围观的群众兴致勃勃地议论着。

苏岩把陈传辉叫到了自己的车里，给他做了一份笔录。笔录上写清，苏岩几点几分给陈传辉打的电话，陈传辉几点几分把门锁打开的。完了，苏岩拿出了五十块钱。

陈传辉说：“我不要了。”

苏岩说：“你拿着！”

陈传辉接钱时，手有点颤抖。

苏岩说：“你哆嗦什么？”

陈传辉小声地说：“今后再有这种事儿，求求你别再找我了。”

5

徐广泽闭着眼睛躺在公安医院的病床上。他的眼球在眼皮底下不时地转动着。

苏岩仔细地观察着徐广泽。他轻轻地把徐广泽的眼皮扒开。

苏岩说:“别在这儿装昏迷了,你赶紧说说怎么回事儿!”

徐广泽说:“我头疼。”

苏岩说:“是谁干的?”

徐广泽摇了摇头,“我不知道。昨天我一进屋就看到王晨躺在地板上,一个男人藏在门后,给了我一下,我就什么都不知道了。”

苏岩说:“你怎么知道是男人?”

徐广泽说:“我好像隐隐约约地看到他了。”

苏岩说:“他长的什么样?”

徐广泽说:“我想不起来了。”

苏岩说:“是大眼睛还是小眼睛?”

徐广泽说:“大眼睛吧!”

苏岩说:“他穿的是什么衣服?”

徐广泽看了看苏岩,“好像是一件蓝茄克。”

苏岩说:“跟我穿的一样吗?”

徐广泽说:“颜色好像比你的浅。”

苏岩说:“其他的?”

徐广泽摇了摇头,“想不起来了。”

苏岩说:“那套房子是你给王晨买的吧!”

徐广泽说:“不是。”

苏岩说:“不是!那屋子里怎么有你的衣服呢?你的衬衣、衬裤还有袜子到处都是。”

徐广泽闭上眼睛不吱声了。

苏岩又推了徐广泽一下:“你赶紧说,我们都等着抓人呢!”

徐广泽说:“是我买的。”

苏岩说:“你们俩多长时间了?”

徐广泽说:“四个月了!”

徐广泽有点难为情。苏岩对此并没兴趣,他现在最关心的是谁是凶手。

苏岩拿出了屋子里的一份清单,递给徐广泽说:“你看看都丢什么了?”

徐广泽简单地看了看,“现金没了。”

苏岩突然问道:“你说会不会是王晨男朋友干的?”

徐广泽说:“她没男朋友。”

苏岩说:“你能确定吗?”

徐广泽点了点头。

苏岩整理好笔录,让徐广泽签字。徐广泽的手有点哆嗦。

徐广泽说:“救救我呗!”

苏岩说:“你没事儿!大夫说了,过几天你就可以出院。”

徐广泽说:“我是说,我……怎么和别人说呀?”

苏岩说:“他妈的都这个时候了,你该怎么说就怎么说呗!”

徐广泽难过地闭上了眼睛。泪水沿着眼角迅速地流了下来。这件事儿确实不好说。面对着黄敏面对着女儿尤其是面对着王晨的父母,徐广泽说什么呀!

苏岩说:“老徐,现在你啥也别想了。安心养病吧!”

徐广泽睁开眼睛,“苏岩,你知道黄敏会怎么做吗?”

苏岩说:“大不了和你离婚呗!”

徐广泽说:“她能去跳楼!”

苏岩说:“得了吧!”

徐广泽说:“真的,年轻的时候她就要跳。要不,这些年我能这么老实吗!”

苏岩也觉得不太好办。

徐广泽满脸是泪，“黄敏要是跳楼，我女儿可怎么办呐！苏岩，你能不能再帮帮我？”

苏岩说：“我怎么帮？”

徐广泽说：“你就说那套房子是你给王晨买的！”

苏岩瞪着徐广泽说：“你真敢说！”

徐广泽说：“不这么说，黄敏就得……”

苏岩严厉地打断他，“徐广泽，现在这是一起杀人案。我要是那么说，我他妈的就成犯罪嫌疑人了！”

6

现场勘察结束后，刑警队连夜开会研究这起杀人案。会议的重点是侦察方向，要确定犯罪分子与被害人王晨之间是个什么样的关系？到底是不是熟人作案？

技术科科长孙仕彬认为是熟人作案。他说：“门上、窗户上没有任何撬押痕迹，犯罪分子应该是用钥匙开门进屋，或者是王晨亲自为犯罪分子开的门。两种情况都说明，犯罪分子与王晨是熟悉的。”

侦察员们最希望是这种情况。只要是熟人作案，通过调查王晨的社会关系就能找到破案线索。只要有了线索，哪怕是蛛丝马迹，破获这个案子都是相当容易的。可是，技术科副科长崔雪峰却认为不是熟人作案。他说：

“如果是王晨为罪犯打开的房门，王晨当时应该穿着拖鞋。可她却穿着高跟鞋，而且鞋底很脏。这说明王晨是从外面回来的。犯罪分子可能是尾随王晨进到了屋子里。另外，屋子里的拖鞋都是整齐地摆在门边装鞋的柜子里，这说明王晨穿好了外出的鞋走到了门外准备锁门时突然遇到了犯罪分子,王晨是被罪犯重新逼回了屋子里。这两种情况都说明王晨应该与犯罪分子是不认识的。”

副科长在会上把自己否定了,科长孙仕彬很不是滋味,他坚持着自己的观点,他说:“即使这两种情况也不能排除犯罪分子与王晨是相识的。第一,犯罪分子尾随王晨。他为什么要尾随?他是不是因为认识王晨才尾随?第二,这个罪犯会不会一直在门外埋伏,见王晨出来后,才对王晨发动袭击。”

副科长崔雪峰刚刚被提拔起来,他一点也不惯着老科长,他针锋相对地说:“假如犯罪分子与王晨认识的话,他有必要一直跟在王晨的身后吗?另外,如果犯罪分子埋伏在门口,等王晨出来,风险太大了!这两种方式都与犯罪分子作案手段相矛盾。从现场勘察上看,犯罪分子几乎没有留下任何有价值的痕迹,这个罪犯非常狡猾,有着极强的反侦察能力。这样一个罪犯,如果和王晨认识的话,他采用跟踪或埋伏在门外袭击王晨的办法就显得很幼稚了。”

孙仕彬说:“幼不幼稚那是罪犯的问题,我们不能因此排除罪犯和王晨是认识的可能性!”

崔雪峰说:“屋子里的现金已经被洗劫一空,很明显,罪犯袭击王晨目的就是入室抢劫。这种案子已经不是第一次发生了。罪犯袭击王晨就是突发性的,他们之间是不应该认识的。”

孙仕彬说:“我们不能如此简单地推断。王晨现在是被一个大款包养。她这么年轻、漂亮,她会不会还有其他的男朋友?这个男朋友会不会因为王晨跟了大款抛弃了自己而怀恨在心?罪犯尽管实施了抢劫,但我认为,他抢劫不见得是他的目的,他的目的是为了报复王晨。他实施抢劫既可能是顺手牵羊,也可能是故意扰乱我们的侦察视线。”

两个人争论的结果谁也说服不了谁。最后的结论是,犯罪分子与被害人王晨既可能是熟人也可能不是熟人!

7

黄敏给苏岩打电话要和他谈谈。

苏岩推托说:“黄姨,我在外地呢!”

黄敏说:“你什么时候能回来?”

苏岩说:“不好说,这样,我回去之后马上给你打电话。”

苏岩现在没法面对黄敏。黄敏一定已经知道了真相,她找自己大概是想来确认一下徐广泽真的是那样的人吗?这让苏岩很为难。事到如今,苏岩必须要和黄敏实话实说,可万一黄敏真的像徐广泽说的那样从楼上跳下去摔死怎么办?

黄敏见苏岩躲着自己,直接来到刑警队,把苏岩堵在了屋子里。

苏岩说:“黄姨,我才回来。我正想给你打电话呢!”

黄敏说:“我到公安局来办点事儿随便过来看看你!”

苏岩说:“黄姨,你坐你坐。”

黄敏满脸憔悴,两天的工夫已经变成另外一个人。

苏岩客客气气地又是拿茶又是倒水。

黄敏说:“能和你谈谈吗?”

苏岩说:“是现在吗?”

黄敏点了点头。

苏岩偷偷看了一眼旁边的高军,高军心领神会,马上说:“苏岩,九点在小会议室开会别忘了。”

苏岩看了看表,对黄敏说:“黄姨,你看下午行不行?”

黄敏也看了看表,她说:“我两分钟就说完。”

苏岩说："那你说吧！"

黄敏看了看高军，意思希望高军回避一下，高军装糊涂在桌子上整理着卷宗。

黄敏说："苏岩，出来一下可以吗？"

苏岩只好和黄敏来到了走廊里。

黄敏平静地说："我和老徐想要给王晨的父母表示表示，你看多少合适？"

苏岩愣住了。

黄敏解释说："王晨是我们饭店的职工，我和老徐大小也是饭店的领导，我们想去慰问慰问。"

苏岩说："行啊！"

王晨死在徐广泽买的房子里，这个案子要是不能迅速破获。王晨的父母很可能会到公安局来讨要说法，那样的话，公安局也麻烦。如果黄敏和徐广泽出面摆平王晨的父母对谁都有好处。

黄敏说："我们拿二十万，你看少不少？"

苏岩说："具体数目吧，你们自己定就可以。我们公安局不好出面。"

黄敏说："这个数可能是少点儿，但王晨的父母觉得还可以。"

看起来，王晨的父母已经被黄敏摆平了。

这个女人了不得啊！

苏岩说："既然她的父母觉得可以，我看就没问题了。"

黄敏叹了一口气，"开始她的父母挺不理解的。也是，养这么大的女儿说没就没了，换谁也受不了。"

苏岩也跟着叹着气，他说："是呀！"

黄敏说："好在他们也知道徐广泽是王晨的舅舅，另外，我也一直把王晨当自己的女儿看待，所以呢，我提出这个方案，他们最终也都接受了。”

苏岩有点不知说什么好。他一个劲儿地点头。

黄敏说:“苏岩,你看王晨的这套房子怎么办?”

苏岩没明白黄敏的意思。他不解地看着黄敏。

黄敏说:“要不,你留着?”

苏岩说:“这房子不是我的!”

黄敏急忙地说:“啊,不是你的!”

苏岩说:“我们调查房子是王晨的,按照法律规定,这套房子应该由她的父母继承。”

黄敏点了点头说:“我也是这么想的。”

黄敏今天找苏岩想暗示要给苏岩好处。她想堵住苏岩的嘴。她不希望徐广泽的这个丑闻广泛地流传出去。但这好像不大可能。一个女孩与一个大款在约会的时候遭到了抢劫,这么大的事儿早就传遍全市了。

苏岩说:“黄姨,你放心,我知道的,我保证不会和别人说。但是,别人知道的,我就没法保证了。”

黄敏这时眼角湿润了,她说:“苏岩,你误会了。”她拿出手绢擦了擦眼泪,说:“黄姨是觉得你跟着受委屈了,我们对不住你!”

8

曹勇洗完澡在洗浴中心开了一个包间吸毒。刚吸没多一会儿,有人敲门,他以为是做足疗的服务员,他说:“你过会儿再来。”他的话没说完,门就被踢开了。高军、苏岩进来了。曹勇满脸堆笑。高军拿出了一个塑料袋子,张开口,曹勇规规矩矩把K粉及吸食工具放进了袋中。

曹勇被带回了刑警队。虽然已经深夜,但刑警队的走廊里一片灯火通明。每个房间里都是在审查着犯罪嫌疑人。

曹勇心里清楚公安局抓他表面上是因为吸毒其实是因为市里发生了杀人案。每回发生杀人案,公安局都会把像他这种有过作案前科的有过胡作非为的地痞流氓全都找茬抓来进行审查。

曹勇不太在乎,他知道,警察无非是问自己11日上午在干什么?他当时在修理厂修车,有好几个修理工可以证实他。可是,对此,苏岩压根儿没问。

苏岩说:“我们当场看见你在吸毒,你对此有什么异议吗?”

曹勇说:“没有。”

苏岩说:“既然这样,我们先填表了!”

曹勇着急了,“苏哥,别押我呗!”

苏岩说:“我们都亲眼看见你吸毒了,不押你,你想让公安局把我们押起来是不是?”

曹勇说:“苏哥,我立功行不行?”

苏岩说:“那当然行了。”

曹勇小心翼翼地看着苏岩,“你需要我立什么功?”

苏岩说:“你能不能不逗我笑?”

曹勇说:“我揭发刘元魁吧!”

苏岩说:“好啊!”

曹勇把刘元魁吸毒、嫖娼的事儿说了出来。说完,他感觉没受到重视,因为警察都没记录。

苏岩说:“曹勇,你和刘元魁关系怎么样?”

曹勇说:“一般吧!”

苏岩说:“你们总在一起玩吗?”

曹勇说:“不经常。他偶尔来找我打打台球什么的。”

苏岩说:“他都什么时间找你打台球了?”

曹勇说:“前些日子还找我打来的。”

苏岩说:“哪天?”

曹勇说:“我想不起来了。”

苏岩说:“是不是8号的晚上?”

曹勇说:“晚上对,但是不是8号我就不记得了。”

苏岩说:“你好好想想,你11号上午不是在修车嘛!你往前推推。”

看起来,警察对自己的行踪早已了如指掌。曹勇在苏岩的启发下,最后确认,刘元魁与自己打台球的时间确实是8号的晚上。

苏岩问曹勇:“刘元魁为什么要在那天晚上找你打台球?”

曹勇愣住了,这还需要理由吗?他说:“我不知道。”曹勇搞不清苏岩为什么要问他这个问题。

其实,苏岩这么问,连高军都糊涂。处理完曹勇,高军问苏岩:“你问这个问题啥意思?”

苏岩说:“我闲的。”

高军说:“你告诉我呗!”

苏岩说:“我都不知道,我咋告诉你?赶紧的,现在去把刘元魁找来!”

刘元魁也是社会上的地痞,但他和曹勇不属于同一类型。刘元魁喜欢看书,有点文化。算得上是一个文化流氓。刘元魁长得也挺有文化。白白净净还戴着一副眼镜。他当初把一个富婆忽悠住之后,就开始骗财骗色。案发后,苏岩把他抓起来,送进了监狱里。为了让其他人受到教育,苏岩就让记者来采访此事,可是,记者都知道刘元魁不好惹,谁也不敢写。苏岩就说,你们写吧,到时候你们要是害怕就署我的名。报纸发表后,刘元魁对苏岩恨之入骨。这等于当着全市的人民群众,侮辱自己。从监狱里出来之后，刘元魁扬言，要亲手干掉苏岩，要让苏岩在痛苦与悔恨中死去。

高军把刘元魁带来之后，苏岩笑眯眯地看着他。

刘元魁说：“你们刑警队已经找过我了。”

苏岩说：“谁呀？”

刘元魁说：“是杨远。”

苏岩说：“杨远找你干什么？”

刘元魁说：“他问我11号上午在干什么？我已经告诉他了，我当时在金星宾馆里睡觉。杨远已经查清楚了。不信的话，你去问他。”

苏岩说：“我用不着问他。我找你来不是问你11号上午的事儿。”

刘元魁不解地看着苏岩，“那你是什么事儿？”

苏岩说：“主要是你吸毒和嫖娼的事儿！”

刘元魁说：“这些事儿，我也没有啊！”

苏岩说：“你要是没有的话，我能找你吗！”

刘元魁想要抵赖，苏岩心平气和地把已经掌握的事实一件一件地说了出来。

刘元魁傻眼了。看起来，苏岩一直在收集着自己的黑材料。

刘元魁呆呆地看着苏岩。

苏岩说：“你这么看着我是啥意思？”

刘元魁说：“我错了。”

苏岩说：“你哪儿错了？”

刘元魁说：“我不该在外面吹牛！”

苏岩说：“你都吹什么了？”

刘元魁说：“我说……要整死你！”

苏岩说：“这也不是吹牛呀，你不是一直在这么做吗！”

刘元魁说:“我……我什么时候这么做了?”

苏岩说:“你8号晚上干什么去了?”

刘元魁想了想,“8号晚上?”

苏岩说:“就是你找曹勇去打台球的那天晚上?”

刘元魁微微愣了一下,他说:“你不是都知道了嘛!我去和曹勇打台球啊!”

苏岩说:“打台球之前,你在干什么?”

刘元魁说:“我在吃饭。”

苏岩说:“你在哪吃饭?”

刘元魁说:“我在……金星宾馆啊!”

苏岩说:“真的吗?”

刘元魁说:“真的,不信你去问呐!”

苏岩挥手给了刘元魁一个耳光,“你再好好想想。”

刘元魁捂着脸,还坚持说:“我确实……”

苏岩转身向高军使了一个眼色,高军从抽屉里找出几张手纸,像是要上厕所,走出了办公室。

苏岩把门关上,走到刘元魁的跟前,小声地说:“操你妈,你当时在昆都饭店!”

刘元魁愣愣地看着苏岩。

苏岩指着他,“你一直在后面跟踪我!”

刘元魁说:“没有。”

苏岩给了刘元魁一拳,“你再说没有?”

刘元魁被打倒在地,刘元魁从地上爬起来,“我真的没有。”

苏岩说:“我都看见你了。”

刘元魁说:“你看错了。我没跟踪你,你不是都知道嘛,我去和曹勇打台球去了。”

苏岩说:“你少跟我整没用的。你早不打晚不打,非得那个时候去打,你什么意思?”

刘元魁说:“那你说我是什么意思?”

苏岩说:“你是想掩盖你去跟踪我的事实!操你妈,刘元魁,你跟着我一直到了花园小区对不对?”

刘元魁说:“没有啊!”

苏岩说:“死的这个女孩,你认识吗?”

刘元魁说:“我不认识。”

苏岩说:“她是我女朋友你会不认识?”

刘元魁疑惑地说:“你女朋友?”

苏岩说:“你少跟我装蒜?就是你把她整死的……”

刘元魁大声地说:“冤枉!”

苏岩踢了刘元魁一脚,“你给我闭嘴。”

刘元魁说:“苏哥,你不能这样啊!你说的这些我全都不知道。”

苏岩阴险地笑了,“真不知道吗!11号上午,你说是在金星宾馆里睡觉,有谁证明你啊!”

刘元魁说:“苏哥,你饶了我吧!我和别人说整死你,我真的是在吹牛。我没胆量杀你!”

苏岩说:“你没胆量杀我,所以,你就去杀我的女朋友!”

刘元魁跪在了地上,“苏哥苏哥,这个玩笑可开不得啊!”

苏岩说:“谁跟你开玩笑?起来!”

刘元魁说:“苏哥,那天晚上,我承认,我的的确确是在昆都吃饭来的,但我没有跟踪你!”

苏岩说:“谁给你证明?”

刘元魁说:“蒋丹可以证明。”

苏岩疑惑地说:“蒋丹?蒋丹是谁?”

刘元魁小声地说:“她是曹勇的老婆,当时,我正在饭店里泡她。我把她干了之后，我怕曹勇怀疑我，就去找曹勇打台球去了。"

9

郭鸣武和朱亮找到苏岩询问杀人案的侦破情况。

苏岩说："才开始调查。"

郭鸣武说："有线索吗？"

苏岩说："目前还没有。"

郭鸣武神秘地问："听说徐广泽当时也在屋子里？"

苏岩说："你听谁说的？"

郭鸣武说："我早就知道。"

苏岩说："你知道还问我干什么？"

郭鸣武说："咱俩不是关系好嘛！"

苏岩说："去去去，你少跟我套近乎！"

郭鸣武和苏岩嬉皮笑脸地说笑着。

朱亮站在旁边没怎么吱声，他看苏岩的目光有点异样。这让苏岩心里很别扭。朱亮一定以为王晨是自己的女朋友。苏岩盘算着该怎么和朱亮解释呢？说王晨压根儿就不是自己的女朋友？可不是女朋友，那天怎么还领着去吃饭呢？特别那天，他还对王晨表现出了某种暧昧，好像和王晨已经什么都干了似的。现在愣说王晨与自己无关，好像说不过去。朱亮愿意怎么想就怎么想吧！

郭鸣武接到了一个电话，好像哪个饭店要开业了，让他过去喝酒。郭鸣武说："我正在公安局采访，这样吧，我让朱亮去。"朱亮说："不就是请咱们吃饭嘛！不去行不行？"朱亮想留在公安局和郭鸣武一起采访案子。郭鸣武说："你去吧！这是朋友。不去不好。你这不是单纯去吃饭,你要替我写篇报道。”

郭鸣武说话的语气完全是命令的口吻,朱亮顺从地说:“行行行,我这就去。”

郭鸣武向朱亮交代注意事项,“这篇报道写得要巧妙一些。不要让领导看出咱们这是在替朋友做宣传!”

朱亮说:“我先写,写完之后,你再看。”

朱亮走了之后,苏岩挖苦郭鸣武:“你们这就叫利用职务之便!”

郭鸣武委屈地说:“都是朋友。不这么整,谁拿我当回事儿呀!”

郭鸣武找苏岩主要是想来了解徐广泽与王晨有着怎样的关系。

苏岩说:“他们有什么关系,我哪知道?”

郭鸣武说:“你肯定知道,你就是不想告诉我。”

苏岩说:“你对这种事儿咋这么感兴趣呢?”

郭鸣武说:“不是我感兴趣,这是读者感兴趣。”

苏岩说:“得了吧!就是你感兴趣。”他批评郭鸣武说:“徐广泽平时没少照顾你,你要是真把这些给曝光了,徐广泽今后还怎么在社会上混呐?”

郭鸣武说:“苏岩,我能用徐广泽的真名吗?我肯定是用化名。”

苏岩说:“化名大家也能猜出来。郭鸣武,你听我的,将来案子破了之后,你就把我们怎么破的案写清楚就行了。”

郭鸣武说:“你没理解我。我写徐广泽不是为了让他难堪,恰恰相反,我是想让人们对他同情。”

苏岩笑了。

郭鸣武说:“你别笑。徐广泽不就是找了一个情人嘛!”

苏岩说:“这可不是情人那么简单。王晨和徐广泽相差二十六岁,徐广泽给王晨当爹都够了。”

郭鸣武说:“我现在不明白的就是差二十六岁怎么就不行呢?”

苏岩说:“郭鸣武你不知道,王晨管徐广泽叫舅舅。”

郭鸣武说:“我知道。不是亲舅舅。”

苏岩说:“你知道,别人不知道啊!”

郭鸣武说:“所以,我得写出来,为徐广泽鸣冤呀!”

为了说服苏岩,郭鸣武还举了一个例子。某某模特比某某导演小三十多岁。她被那个导演干了之后就告诉了媒体。可奇怪的是,这个事儿被报道出来之后,没人指责导演,却说这个模特不要脸。说这个模特为了出名恬不知耻地硬说被这个导演干了!还说,人家那么大的导演能愿意干她吗!好像这个导演干小女孩就是天经地义似的……

苏岩说:“行了行了,别举例了。你到底想要说什么?”

郭鸣武说:“我是想说都是一样的人,为什么徐广泽干个小的人们就不能理解呢?”

苏岩说:“人家那是名人!名人当然有这个特权了。郭鸣武,你还有别的事儿吗?”

郭鸣武说:“你别不耐烦嘛!我这么写一方面是为了让人们理解徐广泽,另外,我也想写写一个岁数大的男人和一个岁数小的女孩是如何恋爱的?”

苏岩说:“你快拉鸡巴倒吧!还整出恋爱来了。徐广泽现在有老婆,他和王晨的关系说到底就是偷情。”

郭鸣武说:“这你就不懂了,男人和女人只有偷偷摸摸的才能产生爱情。”

苏岩说:“你这叫什么理论呀!”

郭鸣武要与苏岩进行深入讨论。

苏岩说:“我没时间陪你了,我现在得去搞案子了。”

10

深夜,苏岩接到了余楠的电话。

余楠说:“可以和你说几句话吗?”

苏岩说:“你说吧!”

余楠说:“你听出我是谁了吗?”

苏岩说:“听出来了。这是哪儿的电话?”

余楠说:“街上的磁卡电话。”

苏岩说:“怎么不用手机呢?”

余楠说:“怕你不接。”

苏岩说:“有事儿吗?”

余楠说:“你今天见到朱亮了吗?”

苏岩说:“见到了。他和郭鸣武去我们单位采访。”

余楠说:“朱亮和你说什么了吗?”

苏岩说:“没说什么。他后来又去一个饭店去采访了!”

余楠说:“苏岩,对不起。上次,我给你发的短信,让朱亮看到了!”

苏岩心里微微一颤,他想起朱亮上午看自己那种异样的目光。

苏岩没有埋怨余楠,他关心地问:“现在外面是不是挺冷的?”

余楠停顿了一下,感动地说:“还行。不是很冷。我是不是打扰你休息了?”

苏岩说:“没有。余楠,你听我话,别在外面了,容易感冒。”

余楠说："没事儿！"

苏岩说："要不，我去接你吧！"

余楠马上说了地址。

苏岩开车来到了华隆小区附近的街道上。余楠站在路边的一个电话亭里。她见到苏岩的车迎着走了过来。灯光下，余楠穿着长裙，下摆被夜风掀起，白皙的长腿随着轻盈的步履时隐时现。

苏岩在车里为余楠打开了车门，余楠上车后亲切地看着苏岩。

苏岩没有说话，他开着车在空荡的街道上行驶着。

苏岩把车开到了一处树阴下。这里是个死角，过往车辆的灯光打不到车内。

苏岩熄灭了发动机，转身看着余楠。

余楠有些不自然，她把身体轻轻地靠向苏岩。她的脸慢慢地贴近了苏岩的脸。

苏岩说："朱亮都和你说什么了？"

余楠说："没说什么？他就问我为什么给你发这样的短信？我说，我找你有事儿。"

苏岩说："朱亮没问你找我是什么事儿吗？"

余楠说："他没问。"

苏岩说："你也没和他说。"

余楠点了点头。

苏岩轻轻地捋了一下余楠的长发，微微地叹了一口气，"你看看是不是惹祸了？朱亮肯定以为我要抢他的女朋友！"

余楠把身体又向苏岩靠了靠，"其实，我和朱亮也才处时间不长。我还没答应他呢！"

苏岩说："你答不答应，大家也都知道你是他的女朋友。"

余楠说:“就算是朋友又能怎么的！我现在不是还没嫁给他嘛！”

苏岩还要说什么。

余楠说:“别说朱亮了！”

苏岩说:“不说朱亮说谁呢?”

余楠的眼睛湿润了,她小声地说:“苏岩,昨天我做了一个梦。我梦见王晨了！”

苏岩愣住了。

余楠哽咽地说:“你说一个那么好的女孩怎么能说没就没呢！”

苏岩一下子变得十分软弱,他忽然抱住了余楠,余楠依偎在苏岩的怀里哭起来。

苏岩慢慢地推开余楠。他整理了一下余楠的头发。他说:“余楠,你后来和王晨有过联系吗?”

余楠说:“我给她打过电话。”

苏岩说:“她都和你说什么了?”

余楠说:“没说什么。”

苏岩说:“你都告诉我吧！现在我们正在搞她这个案子。”

余楠说:“她真的没说什么。她只是告诉我,她不是你的女朋友。那天,她是临时冒充的！”

苏岩不再吱声。像是陷入了回忆之中。

余楠小声地说:“苏岩,你心里难受是不是?”

苏岩没有回答,他发动了轿车。

苏岩把车开到了一个幽静的酒吧门前。酒吧门前空空荡荡一辆车也没有。苏岩下了车,余楠问都没问随着苏岩也下了车。他们进了酒吧,酒吧里的灯光十分昏暗。只有几对情侣在幽暗的桌旁窃窃私语。

苏岩和余楠在一个角落里坐了下来。他们要了酒要了果汁要了玉米花什么的。酒水上来之后,苏岩开始一杯接一杯地喝酒。余楠陪了苏岩一杯,第二杯时,苏岩就让她喝饮料。

余楠说:“没事儿!”

苏岩说:“咱俩别都喝多了。”

余楠十分听话,她给自己倒了果汁。

苏岩喝了几杯之后,舌头就不太好使。他说:“余楠,你处了几个男朋友?”

余楠犹豫了一下,“就处这么一个!”

苏岩说:“你处的太少了。”

余楠说:“你处几个了?”

苏岩说:“我处了四个!”

余楠说:“是吗!真是没少处!她们都是干什么的?”

苏岩说:“一个是我们单位的,一个是护士,再一个是中学老师。”

余楠说:“这不才三个吗!你不是说四个吗!”

苏岩说:“第四个就是王晨。”

余楠说:“她不是临时冒充的吗!”

苏岩没有马上回答,他连续喝了两杯酒,神情沮丧地说:“虽然她是冒充的,可她却跟其他的有着一样的命运!”

余楠愣住了。

苏岩迷茫地看着余楠,“我不是吓唬你!我说的全是实话。不信的话,你可以去打听打听。”

余楠呆呆地看着苏岩。

苏岩说:“余楠,小时候,我妈给我算过卦,说我命硬克人。我一直都不信,可现在我不得不信了。”

苏岩的眼睛里充满了血丝,“第一个女朋友被车撞死了,第二个自己喝药死了,第三个得癌症死了,第四个王晨仅仅给我假装当了一天,竟然也……"

余楠小声而不解地说:"苏岩,你为什么要和我说这些?"

苏岩诚恳地说:"余楠,离我远点儿!我很危险!"

11

高军走进宾馆来到前台,领班是两个漂漂亮亮的女孩,她们客气地向高军打招呼。

高军看了看两个女孩身上的胸卡,对其中的一个叫周雨的女孩说:"我是公安局刑警队的。"

高军掏出工作证递给女孩,女孩接过来看了看,胆怯地说:"什么事儿?"

高军说:"麻烦你到我们单位来一趟。"

周雨说:"有事儿吗?"

高军说:"找你了解点情况。"

周雨说:"我现在值班呢!"

高军说:"你让别人替你一下。"

另外的女孩把经理找来了。经理认识高军。高军小声地和经理耳语了几句,经理说:"好好好,明白。"他对周雨说:"你去吧!"

高军将周雨带回自己的办公室。苏岩正低头看书。

高军说:"这就是周雨。"

苏岩抬头看了看周雨。

周雨说:"你好。"

苏岩冷漠地指了一下旁边的铁椅子,"坐吧!"

周雨走到铁椅子跟前,铁椅子上有手铐、脚镣什么的挺怪吓人。她没敢坐。

高军也冷冷说:“你坐下吧!”

周雨只好坐下了。她的屁股只坐了一个角。

苏岩说:“你和王晨认识多长时间了?”

周雨说:“好……长时间了,我们俩是高中同学。”

苏岩说:“你向王晨借过钱是不是?”

周雨很不自然,“对!”

苏岩说:“借了多少?”

周雨说:“一千五。”

苏岩说:“你为什么要借钱?”

周雨说:“我……想要买一双鞋!”她指了指脚上的鞋。

苏岩说:“这双鞋多少钱呐?”

周雨说:“四百六。”

苏岩说:“四百六,你为什么要借一千五?”

周雨说:“我……还要买别的。”

苏岩说:“一个月酒店给你开多少工资?”

周雨说:“七百。”

苏岩说:“够花吗?”

周雨说:“还……行。”

苏岩说:“不够花,你就向王晨借是不是?”

周雨说:“借完,我还她!”

苏岩严厉地说:“你一个月开七百块钱,你怎么还呐?”

周雨有点不知所措,紧张地看着苏岩。对头一次进公安局的人,警察都先吓唬一下,这样一会儿到了下面关键的问题,就省得费口舌了。

苏岩说:“你说话呀!”

周雨说:“我……慢慢地还她!”

苏岩说:“你是不是压根儿就没想还她!”

周雨说:“没有。”

苏岩冷笑道:“你向王晨借钱已经不是第一次了。”

周雨不吱声了。

苏岩说:“你借了钱不还,王晨为什么还借你?”

周雨说:“我们关系好!”

苏岩说:“仅仅是关系好吗?”

周雨说:“就是关系好!”

苏岩说:“周雨,你现在是在公安局刑警队,你说话要对自己负责!”

周雨胆怯地看着苏岩。

苏岩说:“王晨是不是有什么把柄在你的手里?”

周雨说:“没有啊!”

苏岩说:“王晨有一个秘密,你知道吗?”

周雨低下头不吱声了。

苏岩起身给周雨倒了一杯矿泉水,他把水杯递给了周雨,周雨双手接过来。

苏岩看着周雨小声地问道:“王晨有个舅舅,你知道吗?”

周雨不自然地点了点头。

苏岩温和起来,“你对这个事儿怎么看?”

周雨不解地看着苏岩。

苏岩说:“你觉得王晨这么做对吗?”

周雨说:“我……不知道。”

苏岩说:“如果换成你,你会这么做吗?”

周雨说:“我……不会。”

苏岩理解地点了点头,他这才问了一个最关键的问题,“王晨除了这个舅舅之外,她还有一个是不是?”

周雨点了点头。

苏岩不动声色地说:“他姓什么?”

周雨说:“我……不知道。我只见过一面。”

苏岩说:“你在哪儿见到的?”

周雨说:“在出租车上。那天王晨给我送钱。当时,那个男的也在车里。”

苏岩说:“他穿的什么衣服?”

周雨说:“好像是个茄克。”

苏岩说:“什么颜色?”

周雨说:“蓝色吧!”

苏岩指了一下自己身上的茄克,“和我的一样吗?”

周雨说:“不一样。比你的浅。”

苏岩拿出一张照片,“是他吗?”

周雨看了看,点了点头,“是他。”

苏岩收起照片,“王晨和你说没说过这个人?”

周雨摇了摇头,“没有。我问过王晨,但她不说。”

苏岩说:“她都和你说过谁?”

周雨说:“她只和我说过她的那个舅舅。她说,那个舅舅给她买了房子,她想要报答报答。她问我,她要是……那样的话,好不好?我当时和她说,你自己看着办吧!”

12

法医对王晨的尸体进行了解剖,发现王晨的体内留有少量精液。开始,法医以为是徐广泽的,但徐广泽的血型是A型,而王晨体内的精液却是B型。这说明王晨除了徐广泽之外,她还应该有另外一个男人。这个男人会不会就是凶手?

侦察员围绕着王晨的社会关系开始了全方位调查。王晨在学校就不乏追求者。与王晨有过接触的同学、同事差不多全部被调查了一遍。但没有发现犯罪嫌疑人。

徐广泽给王晨买了一套房子,但王晨并不总是住在这个房子里。王晨大多数时间都住在自己的家里。在她自己家的卧室里,有好几本影集,影集里有男人有女人。苏岩把影集里照片一张一张地拿出来,他终于发现了一张男人的照片。这张照片很隐蔽地被压在另外照片的下面。

照片上的男人有点神秘。没有人知道他叫什么。除了周雨见过之外,谁都没见过。

这个男人是谁呢?

13

苏岩找到王晓光,说,徐广泽现在病已经好了,还天天赖在医院不出来。让王晓光去看看他。

王晓光说:“我不看他。”

苏岩说:“你们这么好,你去看看他呗!”

王晓光说:“我不去。这个老徐丢死人了!”

王晓光早就怀疑徐广泽私下里搞女人,但他万万没想到,徐广泽把自己的外甥女搞了。

苏岩说:“那不是亲的。”

王晓光说:“那个女孩天天叫徐广泽舅舅,这和亲的有什么两样?徐广泽真是老不要脸。”

苏岩说:“你太认真了。他要不要脸跟你有什么关系?”

王晓光说:“当然有关系了!我和他是朋友!现在有个别人也怀疑我是不是也有这种无耻行为。”

苏岩说:“行了行了。别说没用的了。现在徐广泽挺可怜的。他整天呆在医院里,也没谁去看他。你要是不忙的话,咱俩去看看他!”

苏岩连说带拽把王晓光整到了医院。

徐广泽住在高干病房。屋子里摆的到处都是鲜花。他见王晓光和苏岩进来十分高兴。他从床上下来又是拿烟又是倒水。

王晓光说,这些日子我太忙了。

徐广泽说,我就知道你忙,要不然你会第一个来看我的。

王晓光说,那是那是。

徐广泽说,你最近都忙什么呀?

王晓光说,忙着拍专题片。

徐广泽说,什么专题片啊?

王晓光说,是关于失足青少年教育方面的。

徐广泽不太舒服,他感觉王晓光好像在影射什么。

徐广泽说:“失足青少年还很多吗?”

王晓光笑道:“有你这样的人总去引导,你说能少吗?”

徐广泽火了,“他妈的,你什么意思?”

王晓光没想到徐广泽会发火。他说,我没意思啊!

徐广泽说,你要是没意思的话,你就走吧!我用不着你来看我。

这些年,徐广泽从不和王晓光急眼。现在徐广泽突然翻脸,王晓光有点接受不了。

王晓光说,徐广泽,你以为我愿意来看你啊!是苏岩让我来的,要不,我才不来呢!

苏岩也很少见到徐广泽发火,他觉得挺有意思的。为了让火烧得旺一点,他急忙说,王晓光,我可没让你来啊!是你自己主动要来的。

王晓光指着徐广泽,看这种人我能主动来?

徐广泽说,你少他妈的指我。

王晓光说,你怎么骂人呢?

徐广泽说,你压根儿就不是人!

王晓光说,我再不是人,我也没搞我外甥女啊!

徐广泽说,滚你妈了个逼! 他把枕头投向王晓光。

徐广泽气得浑身哆嗦,他的呼吸急促起来。

苏岩急忙装模作样地把旁边的氧气打开,让徐广泽躺在床上吸氧。

徐广泽气得满脸铁青,他带着氧气面罩用力地吸着气。

王晓光也觉得自己过了。他把枕头放在徐广泽的头下,歉意地说,老徐,我跟你开玩笑呢!

徐广泽呼吸了好一会儿,平静下来。他十分严肃地说,王晓光,你跟我说句实话,你喜不喜欢和小女孩上床?

王晓光说,我不喜欢!

徐广泽说,你撒谎。

王晓光说,我没有撒谎。

徐广泽说,王晓光,你和我比,你差远了。你连实话都不敢说。我告诉你,你和我一样都喜欢和小女孩上床。你不要以为你比我高尚多少。咱们俩其实都是一路货色。

王晓光说,我和你可不一样。

徐广泽说,好,既然不一样,我现在请你出去。

说完,徐广泽闭上了眼睛。

王晓光耸了一下肩膀,离开了病房。

苏岩送王晓光出去。在走廊里,王晓光说,徐广泽怎么现在像是变了一个人。

苏岩说,他不是有病嘛!

王晓光说，他身体有病怎么思想也有病呢？

苏岩说，遇到了这么大的事儿，谁都会有病的。

今天到医院来，苏岩没想找王晓光，是徐广泽自己让的。徐广泽住院以后，熟悉的不熟悉的朋友都来看他了，唯独王晓光没来。他感到很失落，他认为，王晓光一定是在心里瞧不起自己了。他让苏岩把王晓光找来，本来是想重新树立他在王晓光心里的形象，没想到却和他打了一仗。

苏岩送走王晓光回来对徐广泽说，你真多余让他来看你！

徐广泽点了点头，确实是多余啊！

苏岩拿出笔录开始询问："你上次和我说，王晨除了你没有男朋友，这个事儿你能肯定吗？"

徐广泽说："怎么了？"

苏岩说："没怎么的，我就是再确认一下！"

徐广泽说："你们发现王晨有男朋友了？"

苏岩说："没有。"

徐广泽说："那你为什么要问这个问题？"

苏岩说："我们有个别侦察员怀疑那个凶手可能是王晨的男朋友。因为像王晨这个年龄，她有男朋友是很正常的，可我们调查来调查去，确实没有发现她有男朋友。为了排除这个可能，我来找你再证实一下。"

徐广泽说："王晨除了我确实再没有其他男朋友了！"

苏岩说："你现在再回忆回忆，那天你在屋子里碰到的那个凶手，你以前见过吗？"

徐广泽说："我没见过！"

苏岩说："确实没见过吗？"

徐广泽说："确实没见过。"

苏岩拿出了一堆照片，放在了徐广泽的面前，你看看，这些人当中有没有这个人？

徐广泽拿起照片一张一张看了起来。

这是十个男人的照片。那个神秘男人也在其中。其他照片也是苏岩精心挑选的，那些人看起来都和这个男人有点相像。

徐广泽看过很快就挑出那个神秘男人的照片。他说："就是他！"

苏岩说："你再看看！"

徐广泽说："不用看了，就是他没错！"

14

余楠给苏岩打了一个电话，苏岩正在开车没有接。过了一会儿，苏岩把车停到路边。他按下车窗，窗外的喧闹声一下子涌了进来。苏岩给余楠回了电话。

苏岩说："对不起，刚才我没有听到。"

余楠说："你这是在哪儿呢？"

苏岩说："在街上。"他把车窗按上，车里顿时安静了许多。

苏岩说："这回好了吧！"

余楠说："我刚才以为你不想接我电话呢！"

苏岩说："没有！"

余楠说："一个电话，我想也不至于嘛！你这几天都忙什么呀？"

苏岩说："就是单位这点儿破事儿！"

余楠说："咋不给我打电话呢？你也不说感谢感谢我！"

苏岩说："我真想给你打来的，但我怕你不方便。"

余楠在电话里笑了，"真的吗？"

苏岩说："真的。"他有点不太好意思，"我那天是不是喝多了？”

余楠说：“没有。你只是喝吐了。吐了我一身！”

苏岩不吱声了。

余楠说：“怎么不说话呢？”

苏岩说：“我感到很内疚。”

余楠在电话微微地笑了。

苏岩说：“我那天是不是挺丢人的！”

余楠说：“还行。”

苏岩说：“我没做什么过分的事儿吧？”

余楠说：“你什么都不记得了？”

苏岩说：“我……只记得你好像开车把我送回去的是不是？”

余楠说：“我一直给你送到屋里你知道吗？”

苏岩说：“这我可想不起来了。啊，你把我一直送到屋子里呢！我说第二天我怎么想不起来我是怎么回的家呢！”

余楠小声地笑道：“少装糊涂！我也喝多过。我喝得再多，发生的事儿，我也能记住。”

苏岩说：“咱俩不一样，我要是一喝多就什么都记不住了。”

余楠说：“那你想不想知道你酒后都干什么了？”

苏岩说：“我不能干什么！”

余楠说：“那可说不准！”

苏岩小声地说：“我都……干什么了？”

余楠说：“你真的一点都想不起来了？”

苏岩的语气里充满了担心，“我不会犯错误吧！”

余楠说：“犯了！你犯了一个非常严重的错误！”

苏岩说：“你别吓唬我。我是一个正派人，我喝得再多，我也不会犯太严重的错误。”

余楠说：“那什么错误才算不太严重呢？”

苏岩又不自信了，“余……楠，我真的犯错误了吗？”

余楠笑了，“你别害怕！你其实什么错误也没犯！”

苏岩坦然道：“我估计我也不会犯嘛！”

余楠说：“虽然你没犯，但我犯了！”

苏岩说：“不能。”

余楠说：“真的！”

苏岩说：“你犯什么错误了？”

余楠说：“我把你的衣服脱了。”

苏岩说：“不会吧！”

余楠说：“你又在装糊涂。你第二天早晨没看见你穿的都是新洗的？”

苏岩惊讶地说：“原来是你给我换的。我第二天还纳闷呢！我喝多了还知道换衣服呢！”

余楠在电话里大笑起来。

苏岩说：“你笑什么呀！”

余楠说：“你真好玩！”

苏岩诚恳地说：“余楠，那天吧，我确实喝多了。我非常非常感谢你把我送回家，特别是，你还帮我……洗了衣服，我真是不知道说什么好！”

余楠依然笑呵呵地说：“你不用客气了。要说感谢的话，我还应该感谢你呢！我把你衣服脱光了，你都没批评我……”

苏岩十分难为情，“求求你，别说了！”

余楠还说：“苏岩，你喝多的时候与你平时真是截然两样！我当时给你录下来好了！”

苏岩说：“要不，我平时怎么不敢喝酒呢！我一喝多就这个逼样！”

余楠笑了。

苏岩说:“我骂人了是不是?你看看我这个人净是毛病。”

余楠说:“哪天你再喝多一次吧!”

苏岩小声地说:“你陪我喝呀?”

余楠说:“好啊!”

苏岩说:“不好。咱俩要是全喝多了,就该犯大错误了。”

余楠说:“你说句实话,没喝多的时候,你想不想犯错误?”

苏岩说:“也想。但我能控制住。”

余楠说:“你喝多的时候也能控制住。”

苏岩笑了,“那说明我还没真喝多!”

余楠说:“好啊!原来那天你没喝多啊!”

苏岩说:“喝多了。那天确实喝多了。”

余楠说:“不和你废话了。哎,中午你请我吃饭呗!”

苏岩犹豫了一下,“我……中午有事儿!”

余楠说:“那就晚上吧!”

苏岩说:“晚上我们打夜班!”

余楠在电话里不吱声了。

苏岩小声地解释道:“这不是发生杀人案了嘛!我们工作就是这个性质,一有这种案子,就开始没黑没白的。”

余楠说:“那你什么时候能有时间呢?”

苏岩不吱声了。

余楠说:“你不想和我再接触了是不是?”

苏岩说:“咱们俩不合适!”

余楠说:“为什么?难道就因为我是朱亮的女朋友?”

苏岩说:“这是一方面,另外,我那天不是说了嘛!我命硬!”

余楠又笑了,“别来这一套。年纪轻轻的还信命了!”

苏岩说:“你看你不信!我真的命硬!”

余楠说:“我命比你还硬!”

苏岩缓和了一下语气，平静地说："余楠，我们俩其实还不是很了解。"

余楠说："你还想了解什么！了解多了，就没意思了！"

苏岩没吱声。

余楠说："苏岩，那天见到你第一面，我好像似曾相识似的！你有这种感觉吗？"

苏岩说："余楠，我是通过朱亮认识你的，另外，你还是朱亮的男朋友，我真的是没法和你交往！"

余楠说："怎么没法交往？"

苏岩说："我和朱亮是朋友！"

余楠笑了，"朋友怎么的了？我和朱亮没结婚，我不是他老婆！"

苏岩笑了。

余楠说："你笑什么？你是不是怀疑我和他已经那样了！没有！苏岩！你不相信是不是？行。就算是那样了。我最多不也就是朱亮的情人吗？你听说过那样一句话吗，朋友妻不可欺，朋友的情人不客气！"

苏岩笑了，"你真有学问！"

余楠也觉得话多了，她不好意思地说："少挖苦我！"

苏岩说："我没挖苦你！余楠，你能把话和我说到这个份上，我是从心里感到骄傲。没想到，我这么一个傻逼警察，竟然能吸引你这么优秀的女人。但是，我确确实实不能和你继续交往！我不是保守。说实在的，我和朱亮也就是认识，还谈不上朋友。我把你从他手里抢过来，没什么了不起的。可是，余楠咱们俩都得承认，朱亮是一个非常非常好的男人，他那么老实厚道，我实实在在是不忍心……"

余楠说："苏岩，别说了好吗？"

苏岩说:“怎么了!”

余楠说:“不怎么的!”

苏岩说:“不高兴了?”

余楠说:“你还能在乎我高不高兴?”

苏岩不吱声了。

余楠说:“苏岩,你想多了,我其实只是想和你做普通的朋友!”

苏岩说:“咱俩做不了普通的朋友!”

余楠说:“怎么做不了?”

苏岩微微笑了。

余楠说:“你是说咱俩或者是情人或者是仇人对吗?”

苏岩没有回答,他在电话里轻轻地叹了一口气。

第 三 章

1

苏岩找到了犯罪嫌疑人的照片，就等于获得了一条极其重要的破案线索。将来破案了，苏岩当之无愧是首要功臣。尽管抓到这个人可能还要去付出更多辛苦，但再多的辛苦也比不上得到了这条线索。

苏岩翻看王晨的影集之前，高军已经翻过了。但高军只是看了一遍，他就没想到，把影集里的照片全都倒出来。苏岩想到了一下子就得到了这个重要线索。

高军说："你的点儿真好！"他表示不理解，"为什么你的运气总是这么好？"

苏岩说："这是因为我的命好！"

高军说："胡说八道！"

苏岩说："我没胡说八道，你想想，咱俩在一起哪次不是这样？"

高军说："也是！看起来，我这一辈子永远赶不上你了！"

苏岩说："那可不见得，咱俩其实差不多。你看我在工作上运气好吧，可你在生活上运气就比我好！你现在已经有了女朋友，可我还是光棍一个！"

高军说："真的！你现在怎么不找女朋友呢？"

苏岩说:“找了,我运气不好,没有找到。”

高军说:“你的运气为什么这样差呢?”

苏岩说:“因为我的命不好!”

高军笑了,“你他妈的一会儿好一会儿不好的,我都让你给我整糊涂了。”

两个人在办公室里正胡扯时,郭鸣武和朱亮急匆匆地推门进来。

苏岩说:“呦,你们俩怎么来了?”

郭鸣武说:“想你了呗!”

苏岩看见朱亮,心里有点不是滋味,他说:“你们俩中午别走了,我请客。”

郭鸣武说:“你太应该请客了。”

郭鸣武说话的语气很夸张,完全是一副兴致勃勃的样子!

苏岩说:“你今天怎么了?打鸡血了!”

郭鸣武这时已经看到了桌子上摆放的那个犯罪嫌疑人的照片。他拿起来神秘地说:“这个人是不是就是那个杀人犯?”

苏岩说:“不是啊!”

郭鸣武说:“什么不是?你们不都下发协查通报了吗?”

苏岩说:“通报上也没说他是杀人犯呐,他现在只是犯罪嫌疑人!”

郭鸣武瞪着苏岩,“你要是再跟我咬文嚼字,我们就走了!”

苏岩猜到了郭鸣武和朱亮已经知道这个犯罪嫌疑人是谁了!但他依然保持着镇静。他说:“到底怎么了?”

郭鸣武和朱亮刚才去东风派出所采访,他们在所长的办公桌上见到公安局下发的协查通报。通报上说明了基本案情并附有犯罪嫌疑人的照片。郭鸣武见到照片之后,给朱亮看了看,朱亮看完,刚要说什么,郭鸣武用眼神制止了他。事后,郭鸣武告诉朱亮,要是说出来,派出所的警察就去抓人了。这个功劳就是派出所的了。

郭鸣武神态得意地看着苏岩和高军,“我们没告诉他们,我们就是想让你们来立功!”

苏岩说:“谁立功都无所谓,你赶紧说说,这个照片上的人是谁呀?”

郭鸣武说:“是冯军。”

苏岩说:“冯军?哪儿的?”

郭鸣武说:“苏岩,咱俩可得讲好,到时候,我们可得要独家报道!”

苏岩真想臭骂郭鸣武,这么大的事儿,他还敢来讨价还价。苏岩控制着自己的情绪说:“好好好!”

郭鸣武说:“到时候,你得把内幕全都得告诉我!”

苏岩火了,一把抓住郭鸣武的衣服领子,“操你妈,你找死啊?冯军到底是谁?”

郭鸣武吓坏了,赶紧地说:“……是我们单位的保安!”

苏岩觉得自己失态,他笑着松开郭鸣武的衣服,“看把你吓的!”

郭鸣武这才说:“今后,你别老动手!”

苏岩急忙又问朱亮:“你认为也是吗?”

朱亮说:“没错,就是他!”

苏岩急忙向队长赵民做了汇报。

赵民说:“真的?”

苏岩说:“真的!”

赵民还想把记者们叫来再问问,苏岩说:“还问个鸡巴毛啊!去晚了,这个冯军就让别人抓走了!”

苏岩临出发前给王晓光打了一个电话。

王晓光说:“好好好！我马上过去。”

电视台紧挨着报社,刑警队赶到门口时,王晓光和另外一个摄影师已经到了。郭鸣武不高兴地说:“他们怎么来了?”苏岩说:“电视台正在给我们局长拍专题片。他们想拍点儿纪实的镜头。”

郭鸣武脸上露出不满。

王晓光走过来问苏岩:“我能不能先进去?”

苏岩说:“啥意思?”

王晓光说:“我想把机器先架上!”

苏岩说:“你以为这是在拍电视剧呢?”

王晓光说:“我用的袖珍摄像机!”

苏岩说:“那也不行。”

王晓光把目光投向赵民。

赵民假装没看见躲开了王晓光的目光。

现在抓人是第一位,要是惊跑了犯罪嫌疑人,责任谁也担当不起。

苏岩一个人先走进了报社。

报社的大厅里站着两名保安。其中的一个苏岩一看果然就是照片上的犯罪嫌疑人。

苏岩走到他的跟前,他的胸前挂着胸卡,上面写的名字正是冯军。

冯军问苏岩说:“你找谁?”

苏岩说:“我找郭鸣武。”

冯军走到电话前刚想要打电话,另外一个保安说,“郭鸣武出去了!”

苏岩说:“出去了?不会吧!”

保安说:“确实出去了。”

冯军怕苏岩不相信，他特地往楼上打了一个电话。他说："郭鸣武确实出去了，他和朱亮一起走的。"

苏岩说："啊。"

他拿出电话拨通后，不高兴地喊道："你让我来，你怎么走了呢！……赶紧的，我在你们报社呢！你快回来！哎，对了，你让王晓光过来，我就不到电视台了。"

苏岩边说边向旁边的沙发走去。他这是在给赵民打电话。他让王晓光进来，是觉得大厅里的形势还是能够控制住的。

王晓光第一个进来了。他多少有点紧张，他慢慢地走到苏岩的旁边就站住了。苏岩注意到，他的一个袖口一直对着那两个保安。

赵民、高军、杨远三个人随后走了进来，他们直接走向冯军，冯军说："你们找谁？"他的话还没有说完，赵民的手就到了冯军的脖子上。赵民一个小背把冯军摔倒在地。高军、杨远随后也扑过去。高军压着冯军的左胳膊，杨远压着冯军的右胳膊。

三个人掏出了手枪，掏出了手铐，还一个劲儿地大声喊着，"别动，我们是警察！"

都已经把冯军控制住了，根本用不着这么张牙舞爪！大概是知道了有人在旁边拍摄，整得这帮警察都不知怎么表现好了。苏岩站在旁边都想笑！

演过了！

冯军被带走之后，王晓光问苏岩："你怎么不上去抓呢？"

苏岩胆怯地说："我不敢！"

王晓光说："真的假的？"

苏岩说："真的。平时抓人我都是在旁边瞅着。"

王晓光说："操，我还想好好表现你呢！"

苏岩说："你看我这个逼样，你咋表现啊！刚才我为啥没过去抓，我要是抓的话，我浑身上下没有一个地方不哆嗦的！”

王晓光说：“是呀！那一会儿回去你审问他，哆不哆嗦？”

苏岩说：“审问我也哆嗦。”

回到了刑警队的审讯室，王晓光把两台大个的摄像机架上了。

苏岩问他：“咋不用小的呢？”

王晓光说：“小的指标不够。”

两台摄像机一台对着警察一台对着冯军。对着警察的摄像机好像没地方放。王晓光就让摄像师把摄像机放在了审讯桌子的底下。镜头从下往上对着参加审讯的干警。苏岩在旁边指挥着，他让赵民坐在主审的位置上，让高军和杨远坐在旁边做笔录。屋子里的灯光全都打开了。

面对着灯光与镜头，警察与犯罪嫌疑人都有点不知所措。

赵民说：“叫什么名？”

冯军说：“我叫冯军。”

赵民说：“在哪儿工作？”

冯军说：“在报社工作。”

赵民说：“干什么工作？”

冯军说：“我是记者！”

赵民说：“你当记者几年了？”

冯军说：“我……说错了，我不是记者，我是保安！”

赵民不知怎么搞的，竟一时没话了。

高军急忙接过话，“知道为什么把你找来吗？”

冯军说：“不知道。”

赵民这才拍了一下桌子，“撒谎！”

冯军说：“我没撒谎，我真的不知道。”

王晓光这时大声地喊道：“停。”

警察与冯军都不解地看着王晓光。

王晓光走过来说:“大家都放松点,别紧张!平时怎么审,现在就怎么审。”

王晓光说完,警察们更不会了。

冯军这时笑道:“原来你们这是在拍电视剧啊!刚才你们咋不告诉我一声呢,可把我吓坏了。”

说着,冯军还站了起来,四处观看。苏岩实在看不下去了。他走到冯军的跟前,挥手给了冯军一个耳光,“拍你妈个逼电视剧!给我坐下!”

冯军被打懵了,他呆呆地看着苏岩。

苏岩抬腿一脚把冯军踢在凳子上。

王晓光急忙退到一边,向摄像师做了一个开拍的手势。

苏岩指着冯军,“你和王晨什么时候认识的?”

冯军说:“王晨!王晨是谁?”

苏岩挥起手向冯军抡去,冯军急忙用戴手铐的双手捂住脸。苏岩的手到了冯军的脸庞迅速地停下。接着他慢慢地把冯军的手掀开。

冯军胆怯地看着苏岩。

苏岩凝视着冯军,过了一会儿,他拿出一张照片,放在了冯军的面前,“这是谁?”

冯军看了一眼,“我呀!”接着他又否定道:“不是我!”

苏岩说:“怎么不是你?”

冯军摸着一下自己的左侧耳朵说:“我这儿有一个痦子。”冯军又指着照片,“他没有。”

苏岩依然冷冷地说:“你为什么有痦子?”

冯军胆怯地说:“是我爸给我遗传的!”

照片上的犯罪嫌疑人与冯军不仅仅是相差一个痦子,细瞅的话鼻子也不太一样。后来查明,案发的当天冯军没有作案时间。他当时正在值班。这不仅有其他保安可以作证,报社的很多记者也都看到冯军了。

冯军被排除了作案嫌疑。苏岩向冯军道了歉。

苏岩说:“我当时打你吧不是我想打你,这都是那个导演让我这么做的。”

冯军说:“大哥,没事儿。导演让你这么做是为了显得真实!”

苏岩说:“谢谢你对我们工作的理解。”他叹了一口气,又拿出照片让冯军看了看,“反正,这也都怪你和他长得太像了!”

冯军说:“大哥,这个人怎么了?你们为什么要抓他?”

苏岩说:“他偷东西了!”

冯军说:“什么东西啊!”

苏岩神秘地说:“我们单位搞福利每人分了两袋大米。这小子把分给我们局长的大米给偷了。你说他傻不傻吧!他偷谁的不好,非得去偷我们局长的,他不找挨收拾嘛!”

2

黄敏找到苏岩打听那个罪犯是不是抓到了?

苏岩说:“没有啊!”

黄敏说:“真没抓到吗?”

苏岩说:“真的!黄姨,我什么时候和你撒过谎?”

黄敏说:“不是黄姨不相信你,是别人说你们抓到了!”

苏岩说:“我们是抓到了,但那个人不是!”苏岩把经过讲了一遍。

黄敏更加不理解,她说:“会有这么巧,两个人能长得那么像?”

苏岩说:“可不是咋的。”

黄敏显得心事儿重重,她说:“苏岩,这个人你们什么时候能抓住呀?”

苏岩说:“这可不好说!”

黄敏说:“这么费劲吗?你们不是有他的照片吗?”

苏岩说:“有照片也不太好抓。因为不知道这个人叫什么!”

黄敏说:“啊,是这么回事儿!”她邀请苏岩到自己饭店。

苏岩说:“不去了。你看我们太忙了。”

黄敏又说:“苏岩,抓这个人是不是挺费劲的?”

苏岩说:“是挺费劲。”

黄敏说:“需要我帮忙吗?”

苏岩笑了。

黄敏说:“真的。”

难道黄敏有什么线索?

苏岩说:“黄姨,你能帮什么忙?”

黄敏说:“我给你们拿点儿钱吧!”

苏岩说:“不用!”

黄敏从兜里拿出五捆钱放在了桌子上。

苏岩说:“黄姨,你赶紧收起来。别人进来,该以为你在行贿呢!”

黄敏说:“苏岩,你就收下吧!”

苏岩把钱又都塞进黄敏的兜里,他说:“黄姨,我们破案从来都没收过钱呐!”

黄敏说:“这是我的一点心意。”说着,她又拿了起来。

苏岩怕黄敏把钱扔下就走,急忙说:“黄姨,你看这样好不好!你要是真想给我们拿钱的话呢,你就给我们领导吧!”

苏岩领着黄敏来到了队长赵民的办公室。

赵民说:“黄姨,来了! 快请坐。”

苏岩对赵民说:“黄姨看咱们破案太辛苦了,想要给咱们拿两个钱表示表示。”

苏岩没有说完,黄敏就从兜里拿出了钱。

赵民说:“黄姨! 这可使不得!”

黄敏态度坚决地说:“你们就收下吧!”

赵民着急地说:“我们收你钱算怎么回事儿呀!”

黄敏说:“我的钱怎么就不能收呢!”她把钱啪地拍在了桌子上。

看这个架势,黄敏是非要把钱扔下不可了!

赵民急忙说道:“黄姨,你看这样吧! 你把钱直接给我们局长送去行不行?”

没等黄敏说话,赵民拿起钱交给苏岩,“你领她到陈局长办公室!”

3

苏岩刚毕业的时候,曾经给局长陈凯鸣当过秘书。苏岩会来事儿很得陈凯鸣的赏识。但当着当着,苏岩向陈凯鸣提出要到刑警队去。陈凯鸣说:“为什么?”苏岩说:“我在你身边不适合!”陈凯鸣说:“怎么不适合了?”苏岩说:“我的字写得不好!”陈凯鸣说:“字写得不好,可以练嘛!”苏岩说:“陈局,你就让我下去吧!”陈凯鸣说:“不行。”在公安局,陈凯鸣说话就是圣旨。他说不行那就是不行了。再说了,给局长当秘书,将来提干什么的都要比别人有优势,但苏岩却寻找一切机会不断向陈凯鸣提这个要求。陈凯鸣说:“怪了,别人想来我都不让来,你他妈的却主动要离开!"苏岩说:"陈局,你现在都已经烦我了,我呆在你身边,你会越来越烦我。"陈凯鸣被苏岩真整烦了,他说:"好吧,你下去锻炼锻炼吧!"

苏岩这一下去就说什么再也不上来了。组织科科长胡波特地找苏岩谈话,希望他回到陈凯鸣的身边。苏岩明知胡波是陈凯鸣的嫡系,故意说:"胡科长,我绝对不是说不愿意给陈局当秘书,而是我当得太辛苦了。你是有文化的人,古人云,伴君如伴虎啊!"胡波把这些话如实地告诉陈凯鸣后,陈凯鸣气乐了。这个小王八蛋!

苏岩下到刑警队没多长时间,就破了一个抢劫银行七十五万元的惊天大案!那个案子苏岩纯粹是运气好捡的。犯罪嫌疑人抢得赃款后躲进了一家小旅店里。当时,全市大搜捕,苏岩恰巧被安排去搜查这家旅店。结果,人赃俱获,一下子侦破了这起特大抢劫案。苏岩当秘书期间,学会了如何写官样文章。他把抓捕经过写得有声有色,既突出了领导,也突出了自己。组织部门知道局长喜欢他,趁这个机会对苏岩又是表扬又是奖励。苏岩一下子在刑警队立住了脚跟。队里的领导知道苏岩是下来锻炼的,对他另眼相看。他在刑警队俨然就是一名特殊的警察。谁也不管他,也管不了他!苏岩的父母做买卖,家境富有,使得他不用为生存低三下四看别人的脸色。另外,都知道他的背后有局长撑腰,谁都高看他一眼。这让他有着很强的优越感。苏岩谁都不放在眼里。对犯罪嫌疑人心狠手辣,以致很多人对他恨之入骨。来到刑警队这些年来,他露过大脸,也现过大眼。为了破案,他有时采取过激手段,这让恨他的人抓住把柄,往死整他。有两次苏岩险些被开除公安队伍。如果不是陈凯鸣在关键时刻暗中帮他,他现在可能已经被关进监狱里。陈凯鸣恨铁不成钢,他多次骂苏岩:"你个混蛋玩艺儿,你要求下去锻炼,怎么练成这个逼样了!”

苏岩自知无脸见局长,平时一般都躲着陈凯鸣。今天,他领着黄敏来到了陈凯鸣的办公室,本打算进屋说明情况就撤出来,可陈凯鸣却他让给黄敏倒茶倒水。苏岩了解陈凯鸣的习性,他明白,这就是让他留下来。

黄敏见到陈凯鸣之后还是态度强烈地把钱拿出来放在了桌子上。

陈凯鸣心平气和地劝说道:“你给我们公安局拿钱,作为公安局的领导,我太感谢你了。不瞒你说,我们这个破单位,有车用不起油,有电灯交不起电费。我们是真穷啊!但现在,你给我们拿钱,我们不敢要啊!你拿钱的心情我能理解,你是想希望我们尽快破案,可我们毕竟还没有破案!现在我们要是接受你的钱,我们该有压力了!你可以问问苏岩,我们破案不怕辛苦不怕流血就怕有压力。一有压力,我们是真难啊!你现在给我们拿钱无形当中就给我们施加了巨大的压力。你这种方式不仅不能帮我们,反过来还会影响我们。你看这样好不好?这个钱呢,你先拿回去,等过些日子,我们破了案,你再给我们好不好?”

话说到这个份上,黄敏也不好再把钱硬扔下就走。

黄敏说:“陈局长,那好,等你们破案之后,我给你们拿十万。”

陈凯鸣说:“别说十万,你拿一百万,到时候,我们也敢要!”

陈凯鸣把黄敏客客气气地送出了办公室。他回过身关上门,小声地问苏岩,“你看她是不是有点精神不正常?”

苏岩点了点头。

陈凯鸣坐在椅子里,重重叹了一口气,他从烟盒里掏出烟,飞给苏岩一支。苏岩接过来之后,急忙掏出火柴给陈凯鸣先点燃了。

陈凯鸣说:“王晓光帮咱们拍的专题片怎么样了?”

苏岩绘声绘色地把自己如何协助王晓光拍摄专题片的事儿添油加醋地说了一遍。他强调说:“抓冯军的时候,为了让片子拍出来有纪实效果,我特意让王晓光先进去,找好拍摄位置,我们才进去抓人。”

陈凯鸣说:“那倒用不着。一定可要咱们工作为主,千万别为了拍片子,把工作耽误了。”

苏岩说:“陈局,你就放心吧!这个我心里有数。”

陈凯鸣忽然看着苏岩,“你小子是不是进屋之后就发现那个冯军不是照片上的人了。”

苏岩说:“没有啊!”

陈凯鸣指着苏岩说:“我他妈的估计你是看出来了,要不,你才不会让王晓光先进去呢。”

苏岩有点不好意思,“局长,你咋把我想得那么不是东西呢!”

陈凯鸣说:“你以为你还是什么东西啊?”

苏岩没有接话,他怕接下来,会引起陈凯鸣新的不满。

陈凯鸣小声地说:“案子最近能拿下来吗?”

苏岩摇了摇头,“不好说。”

陈凯鸣说:“难度在哪儿?”

苏岩说:“我们现在只是把协查通报下发到了基层派出所。范围有点窄儿。”

发生这种杀人案,局里一般不大肆宣传。因为这会影响到社会的安定,给百姓造成一定的恐慌。所以这个协查通报就没有向社会公开。

但是,社会上不知怎么搞的却产生了这样一种谣言。说被杀的这个女孩是大款养的二奶。杀手是大奶花钱雇佣的。还说,这不是一个大奶的行为,这是全市大奶在联合行动。她们为了保护自己的利益,也为了警告自己的丈夫,共同出资铲除二奶。

这种谣言传播的速度是惊人的。

陈凯鸣说,"昨天,我去市里开会,连市里领导都过问这件事儿了!"

苏岩也感到了问题的严重性。他明白,这种杀人案就怕引起广大群众的关注,大家越关注,市里领导给公安局的压力就越大。

陈凯鸣气愤地说:"他妈的,怎么会出这种谣言呢?"

苏岩说:"我们去抓冯军的时候,是在报社的接待大厅里。当时碰到了不少记者。很多记者就向我们打听是怎么回事儿。这个案子牵扯到了个人隐私,我们没有告诉他们。我们对他们这么一保密,他们就来兴趣了。越是不让他们知道,这些记者就越想知道。这两天没事我瞎寻思,陈局,你说,这个谣言会不会是这些记者编出来的?"

陈凯鸣说:"净胡扯。你别把记者想得这么坏!"

苏岩说:"我没有把他们想得那么坏,我是觉得这个谣言编得挺有意思!什么大奶们集体出资雇佣杀手来铲除二奶,完了还不伤害自己的丈夫!陈局,你仔细琢磨琢磨,这个谣言是不是充满了文化色彩?"

陈凯鸣眼里露出笑意,他瞪着苏岩,"你给我滚鸡巴蛋!"

苏岩依然傻呵呵地说:"陈局,你别不高兴,我这都是在瞎说。"

陈凯鸣笑了,"你少在我这儿装疯卖傻!"

苏岩主动拿起桌子上的香烟,递给陈凯鸣,接着掏出火柴为陈凯鸣点燃了香烟。

陈凯鸣说:“你现在不抽烟了!”

苏岩点了点头。

陈凯鸣说:“你不抽烟兜里还揣着火柴干什么?”

苏岩说:“我这不是时刻准备着给您点烟吗?”

陈凯鸣说:“少说好听的,你他妈的现在天天躲着我,你以为我看不出来!”

苏岩不自然地看着陈凯鸣。

陈凯鸣深深地吸了一口香烟,慢慢地说道:“这起杀人案由于这个谣言的出现已经给社会造成了很坏的影响。如果不迅速破案,这个谣言会被传得越来越不像话。这两天我想了想,要想迅速地抓到照片上的这个人,应该发动广大的人民群众。我打算向社会公开这张照片。”

苏岩说:“我们是太希望公开了,问题是会不会引来不好的影响呢!”

陈凯鸣说:“现在不是已经有影响了。既然这样,我们再藏着掖着就没必要了!”

苏岩想了想,“陈局,你说得对!确实没有必要了。”

陈凯鸣说:“但现在有这么一个问题,这张照片公开后,会不会在客观上证实了这个谣言。因为我们公布这张照片时不可能公布案情,这样一来,大家对那个谣言就更加确信无疑了!万一,我们不能及时地破案,这对社会会造成更大的影响!”

苏岩点了点头,“确实啊!”

陈凯鸣看着苏岩,“你说能不能找到一种办法,在我们公开这张照片之后,不仅不会产生不好的影响,反过来还能把这个谣言消除掉!”

苏岩说:“这可太难了!人们宁可相信谣言,也不会相信我们的!”

陈凯鸣说:"所以,就得需要你来解决这个问题啊!"

苏岩说:"我可没这两下子!"

陈凯鸣瞪起眼睛,指着苏岩,"你要是想不出来,我就收拾你!"

4

王晨生前拍了很多明星照。这种照片最大的作用就是把丑的变成美的。王晨的相貌肤色本来就说得过去,所以,明星照上的王晨的的确确是非常非常美丽。已经美到完全像一个真正的明星了。

这么美的照片出现在大屏幕上后,主持人就对现场上的观众提问,请问这是哪位明星?一个观众说,这是郭秋梅。另外一位观众说,不像郭秋梅,因为郭秋梅现在没有这么年轻。这位观众又说,她就是郭秋梅,你看着不像是因为这张照片是这位明星十年前的模样。

这时,屏幕上不断地出现王晨各个角度的照片。有的清纯,有的性感,有的妩媚,有的成熟。观众们开始胡乱猜疑起来。

主持人不动声色地引导着大家,大家猜来猜去,谁都没有猜出来。大家最后都把目光投向了节目主持人,问,这到底是哪位明星?

这时,灯光暗了下来,伤感的音乐缓缓响起。

一束光亮射在了主持人的脸上。主持人已经泪流满面。

主持人说:"这个女孩不是明星。她是我们这个城市里一个漂亮的女孩。她叫王晨,今年十九岁……"

主持人开始哽咽起来:"像其他漂亮的女孩一样,王晨也有着明星的梦想!大家已经看到了,她的相貌她的身材完全具备了明星的条件。也许，不久的将来，王晨真的会梦想成真，成为真正的明星。但是，今年的 6 月 11 号，这个梦想却变成了一个永久的噩梦！”

大屏幕上出现了王晨倒在地板上的现场勘察照片。

镜头迅速地划过王晨的身体，定格在王晨身边那一大摊的血！

血已经凝固，像油漆一样。

主持人说：“这是一个普普通通的早晨，王晨像往常一样要去上班了！可她刚刚走出家门……”

大屏幕上出现了模拟场面，一个女孩的背影刚刚推门出来，一个男人冲了进来。女孩大声喊叫着，男人迅速地捂住女孩的嘴。

女孩压抑的尖叫声，随后，画面上一片漆黑。

不久，画面上再次出现王晨美丽的面容。

主持人说：“罪恶的凶手就这样夺走了一个美丽年轻的生命！”

在沉重的音乐中，王晨的父母从后台走了出来，他们两个人泪流满面。他们悲伤地倾诉着对女儿的思念。母亲说着说着还差点儿昏倒！

父母说完了，王晨的朋友周雨走了出来。她也哭着，边哭边诉说着与王晨的友谊。她说王晨不仅外表漂亮，心灵也漂亮。她说自己的父亲有一次病了，没钱住院，是王晨把自己积攒下来的两个月工资交到了她的手里。周雨在哭声中表达了这样一层意思，如果不是王晨的这一千五百块钱，她的父亲现在可能就会离开了这个世界。

周雨说完，王晨的同事也一个个登场，她们都像周雨一样述说着王晨一个个感人的事迹。

最感人的应该是黄敏的讲述。她出场时，她的眼神疲惫脸色憔悴。她说，从王晨离开后，她就没睡过一个好觉。王晨的音容笑貌始终萦绕在她的脑海里。

黄敏说，王晨就像她的女儿。她总觉得王晨并没有走，她就活在自己的身边……

灯光不时地打在黄敏的脸上，黄敏的眼泪在灯光下变得五彩缤纷。

大家先后讲述了王晨一个又一个丰功伟绩！在场的观众被感动了，电视屏幕前的观众也被感动了。

热心的观众不断地发来短信要求警方迅速抓获凶手，为美丽的王晨报仇！

赵民出现在屏幕上，他穿着警服态度严肃而悲伤。他沉重地说，犯罪分子是抢劫杀人。希望广大人民群众提供破案线索。警方会很快将犯罪分子绳之以法！

这时，大屏幕上出现了犯罪嫌疑人清晰的照片！

5

冯军被群众扭送到公安局刑警队。这已经是第三次了。当时，他走在下班的路上，怕别人认出来，特意戴上了宽大的墨镜。但无论他怎么伪装，他还是被目光敏锐的人民群众认出并把他拿下。这之前，苏岩给他开了一张证明让他随身携带。冯军被认出后，他说："我不是罪犯，我是保安。我兜里有证明。"他的双手已经被群众扭到背后，他的意思是让群众帮他把证明拿出来。

冯军被送到刑警队以后，他见到苏岩满脸委屈。可令他不解的是，苏岩还假装不认识他。

冯军说："我是保安，我不是罪犯。"

苏岩瞪着他，"你给我老实点儿！"

冯军还想说什么，苏岩一脚把他踢进审讯室里。

苏岩握着群众的手真诚地表达了谢意。没办法，他明知抓错了，也不能批评热心的群众。他担心群众没了积极性，碰到真的罪犯也以为是假的就耽误事儿了！

送走了群众，冯军眼泪汪汪地看着苏岩，"你不认识我了？"

苏岩说："可不是咋的，刚才吧，我一下子蒙住了。"他还埋怨冯军，"你咋不把我给你开的证明拿给他们看呢！"

冯军说："我一下子就被他们摁倒了，我也拿不出来啊！"

苏岩说："是吗！这帮人也太野蛮了！"

冯军的眼泪掉了下来，他说："我老这么被抓来抓去的，什么时候是头啊？"

苏岩说："要不，你先在家休息吧！"

冯军说："我休息你给钱呐！"

苏岩说："你一个月开多少钱？"

冯军说："七百。"

苏岩从兜里拿出七百块钱，递给冯军，冯军推托着，"我不能要你的钱。"

苏岩说："这不是我的钱，这是我们队里的。你拿着吧！"

冯军接过钱，又说："我还是先上班吧，反正单位里的人都知道我是好人，他们不会抓我的。"

苏岩说："那你不怕路上的人抓你呀？"

冯军说："从明天开始，我就住在单位算了。"

苏岩笑了，"那也行。"

冯军说："那这七百块钱，你还给我吗？"

苏岩说："给你，你拿着吧！"

冯军说："那你给我打个条呗！"

苏岩疑惑地说:“我给你钱,你怎么还让我给你打条呢?我没让你打就不错了!”

冯军说:“你就给我打一个吧!”

苏岩说:“你什么意思,你是不是不信任我啊!”

冯军点了点头,他说:“你这个人说话没准。上次,你说照片上的人是偷了你们公安局长家的大米,其实才不是那么回事儿呢!”

6

“求你点儿事儿行吗?”

“你说。”

“我在商业大厦看好了一件衣服,我想买下来,可我带的钱不太够。”

“那你就回家去取吧!”

“我怕等我取回来,这件衣服被别人买走了!”

“就剩一件了吗?”

“我还能骗你是怎么的?”

“那你给我打电话是什么意思呢?”

“我想让你给我送点钱来,行吗?我将来肯定还你!”

“我现在手头也不宽绰,要不……”

“那就算了。”

“不高兴了?”

“没有。”

“你是在大厦的哪一层啊?”

苏岩轻轻地说着,他知道自己不应该去送这个钱,可他心里却在最后一刻软了下来。

苏岩来到了商业大厦。他刚进门就看到了余楠站在不远处。

苏岩给她打电话,直截了当地说:“你去开票吧!”

余楠在远处凝视着苏岩,她说:“你着什么急呀?”

苏岩说:“我怕别人把衣服给你买走。”

余楠向大厦深处走去,苏岩跟在余楠的身后。他一边打着电话,一边欣赏着余楠的背影。

苏岩说:“这件衣服吧算我买的,然后就送给你了。不用你还。”

余楠说:“要是不还的话,我就不用你买了。”

苏岩说:“我送你件衣服怕什么?你忘了上次我喝多了,是你给我送回家的。”

余楠说:“有这个事儿吗,我怎么一点也没印象呢!是我送你的吗?”

苏岩说:“是你。”

余楠说:“不是我。”

苏岩说:“怎么不是你。你都把我衣服脱了,你忘了?”

余楠站住回过身,她向苏岩望过来。苏岩转过身假装打着电话。

余楠说:“你转过来。”

苏岩转过身,“怎么了?”

余楠说:“我脱你的衣服,你有意见啊?”

苏岩说:“没有啊!你不脱,我也得自己脱。”

余楠笑了,她转过身继续走。

苏岩继续跟在她的身后。

苏岩说:“你到底买的是什么衣服啊?”

余楠说:“你刚才说要买衣服送给我是真的吗?”

苏岩说:“是真的!”

余楠说:“那好!你可不准反悔!”

余楠在电话里指挥着苏岩左走右拐来到了一家内衣专卖店。

余楠说:“你进去吧。”

苏岩进去一看,里面的顾客都是女人。

苏岩小声地说:“你要买什么呀?”

余楠说:“你向右看。”

苏岩小声地说:“我看见了。”

余楠不紧不慢地说:“你看什么颜色的好啊?”

苏岩说:“这也不是衣服啊!”

余楠说:“你快说呀,我戴什么颜色最漂亮?”

苏岩说:“你戴黑的吧!”

余楠说:“你还挺有眼光呢!我白!我戴黑的会显得更白是不是?”

苏岩说:“那我没想那么多,我主要是觉得黑的不爱脏,你穿上之后一年都不用洗!”

余楠笑了,“你少气我。快给我买吧!”

苏岩走到了柜台前,服务员不太自然地看着他。苏岩硬着头皮指了一下黑色的,“麻烦你给开一套。”

服务员说:“多大的知道吗?”

苏岩疑惑地说:“这还分大小吗?”

服务员脸红了。

苏岩急忙说:“对不起。”他转身给余楠打电话:“你那儿多大呀?”

余楠说:“你不是知道吗!”

苏岩说:“我怎么知道呢?”

余楠说:“你都摸了,你忘了!”

苏岩说:“我摸了!我什么时候摸了?”

余楠说:“那天晚上呗!在走廊里,我扶你上楼,你把手从上面就伸进去了!”

苏岩说:“真的假的?”

余楠说:“你要是没摸,我都不是人!”

苏岩说:“是吗!对不起,对不起!我那天是喝多了。”

余楠说:“别说对不起了,赶紧买吧!”

苏岩说:“买你得告诉我多大的呀?”

余楠说:“你回忆回忆啊!”

苏岩说:“求求你,赶紧告诉我吧!”

余楠说:“80C。”

苏岩转身来到了柜台前对服务员说:“80C。”

服务员开票时,余楠又打来电话:“你告诉服务员,我只要胸罩。”

苏岩小声地说:“干脆都要吧!”

余楠说:“那个短裤不漂亮,我要单买。”

苏岩鬼鬼祟祟地向服务员转达了余楠的意思。

服务员说:“可以!那……你想要什么样的?”

苏岩问过余楠然后对服务员说:“我要丁字裤!”

服务员异样地看了苏岩一眼,然后指着旁边的那些小得不能再小简单得不能再简单的三角裤说:“你挑一个吧!”

苏岩这才明白什么叫丁字裤!他顿时脸红脖子粗。他胡乱地指了一个。

服务员说:“什么号?”

苏岩低着头,“你看着拿吧!”

服务员同情地看着苏岩小声地问:“她是胖还是瘦?”

苏岩说:“瘦。”

服务员说:“那就开70的吧!”

苏岩感激地说:“谢谢!”

7

照片公布之后,王晓光提出跟踪采访。他要与警察同吃同住同工作。苏岩说:“没必要。等有了好线索,我事先通知你就完了。”王晓光说:“这个案子挺有意思的,我一定要全程跟踪。”苏岩说:“你这样天天跟着我们,弄不好会耽误工作。”王晓光不愿意地说:“你干你的我干我的,有什么可耽误的?你耽误我工作,我还没说呢!”见王晓光这么说,苏岩也不好再拒绝他。前不久,为了让照片按照陈凯鸣的意思公布出来,苏岩刚求完王晓光。当时王晓光不同意拍摄那样一种过于煽情的片子,在苏岩百般恳求下,王晓光才答应。

王晓光跟踪拍摄,报社的郭鸣武也要跟踪采访。

苏岩说:“你搞文字的,你跟着凑什么热闹?”

郭鸣武说:“我需要拍几张照片。”

苏岩不想让郭鸣武来,因为他来的话,朱亮也得来。天天看着朱亮,苏岩心里不是滋味。

苏岩说:“郭鸣武,你别跟着了!”

郭鸣武说:“电视台的能跟着,我们报社的为什么就不能呢?苏岩,我感觉你不太正常,我们到你们公安局任何单位去采访全都兴高采烈,怎么到了你这儿就这么困难呢?”

苏岩说:“我主要是看你不顺眼。”

郭鸣武说:“我也没抢你老婆,你干啥看我不顺眼呐?”

苏岩说:“就是因为你不抢我老婆我才看你不顺眼呢!”

苏岩见郭鸣武执意要来,也不太好断然拒绝。记者们的关系都通天,郭鸣武要是找到了局长,苏岩反而被动了。苏岩答应了郭鸣武,朱亮也果然跟着来了。

苏岩偷着问郭鸣武,"朱亮不是负责文教嘛,他怎么老跟着你采访政法呢?"

郭鸣武说:"他愿意跟着我。"

苏岩说:"什么他愿意,主要你愿意!你是醉翁之意不在酒啊!"

郭鸣武知道苏岩指的是啥,他否认道:"没有没有,真的不骗你。确实是朱亮愿意跟着我。"

天天与朱亮见面,苏岩多少不太好意思。朱亮知道余楠找过苏岩。苏岩很想和朱亮解释解释。可解释什么呢?说他和余楠之间什么事儿都没有。这么说,苏岩自己都觉得不太理直气壮。

记者们在刑警队跟踪采访,每天中午吃饭是件大事儿。没有记者的话,警察们都在食堂里糊弄一顿。有了记者就不能糊弄。记者们都吃惯了,不整点儿好吃好喝的,心里会不舒服。警察们可以让罪犯不舒服,但不敢让记者不舒服。每天中午,都得安排记者们到饭店去吃饭。

队长赵民让苏岩去陪着。

苏岩说:"我一个民警,我去陪好吗?记者来了你当队长的应该出面啊!"

赵民忽悠苏岩说:"你哪是一般的民警啊!你不仅能代表队长,你还能代表局长呢!"

苏岩明白赵民啥意思,让苏岩陪的话,吃饭的钱就由苏岩出了。队里太穷了,记者天天来吃,队里确实承担不起。

赵民说:"你和记者们都很熟悉,你就去吧!好吗?"

赵民这种类似乞求的语气,苏岩没法再拒绝。

每天陪同记者们吃饭,免不了要时时刻刻面对着朱亮。苏岩心里多少有些别扭。好在朱亮对苏岩仍然像往常一样。圆圆的胖脸上,总是一副恭恭敬敬的样子。吃饭的时候,朱亮像个店小二忙前忙后。有人抽烟,朱亮点烟。有人喝酒,朱亮倒酒。

苏岩说:"朱亮,你是我们刑警队请来的客人,点烟倒酒的活儿不是你干的。"

郭鸣武说:"他不干谁干呢!"

朱亮说:"确实确实。我年龄小,这些活儿就应该我干!"

苏岩说:"你现在是记者了,应该学会装牛逼了。"

朱亮说:"我不会装。"

苏岩说:"你要向郭鸣武好好学学。"

这些日子,根据各界群众的举报,除了冯军之外,警察还抓获了另外五名犯罪嫌疑人。这些人也都与照片上的那个犯罪嫌疑人很相像。

王晓光说:"一张照片竟然有这么多人与之相像,这说明了一个什么问题?"

郭鸣武说:"这说明坏人现在越来越多了。"

王晓光说:"可抓住的这些人并不坏呀!"

郭鸣武说:"他们现在不坏并不等于将来不坏!"他建议苏岩对这些人要严密监控。

苏岩说:"人家又不是犯罪嫌疑人,凭什么监控呀?"

郭鸣武说:"还凭什么,我看他们不顺眼。这就够了!"

苏岩笑道:"亏你没当警察。当的话,咱们市里得有一半人被你抓起来。"

郭鸣武说:"一半都少啊!我感觉现在也就是我爸我妈还能算是好人!"

王晓光说:“郭鸣武,你啥意思了!意思我们都不是好人了呗!”

郭鸣武笑道:“我也没说你,你心惊什么呀?”

王晓光脸拉了下来,“你这叫什么话!”

从徐广泽出事儿后,王晓光总认为别人把他也当做徐广泽那样的人。

郭鸣武说:“开玩笑,你怎么还急眼了?”

王晓光说:“我这么大岁数了,你老跟我开什么玩笑?”

苏岩急忙岔开话题,他批评郭鸣武,“你看看人家朱亮!向人家学学!不是我说你,都是一样的记者,你们为什么差距这么大?”

郭鸣武也不愿意了,“我和朱亮有什么差距啊?我向他学?”他看着朱亮,“你说你有哪一点儿值得我学?”

朱亮急忙地笑着说:“郭哥,你永远是我学习的榜样!”

郭鸣武抚摸着朱亮的头发,“好孩子!”

晚上,苏岩主动送朱亮回家。车上,他开导朱亮:“你尊重郭鸣武是应该的,但你不能让他欺负你啊!”

朱亮说:“苏哥,他没欺负我!”

苏岩说:“还没欺负!你就差管他叫爹了。像郭鸣武这种人都是欺软怕硬,你越老实,他越欺负你!”

朱亮说:“苏哥,他不是成心的!”

苏岩说:“我知道他不是成心的,但你不能惯他这个毛病。我这么说,不是说要你和郭鸣武翻脸。你已经走向社会了,你就得有点性格,男人嘛,不能太窝囊了!你说是不是?”

朱亮认真地点了点头。他感激地说:“苏哥,谢谢你对我的教诲!”

苏岩笑了,“朱亮,你太客气了。”

朱亮主动提起了余楠，“苏哥，余楠已经找过你道歉了是不是？”

苏岩说：“是！”他心里有点慌乱。

朱亮说：“其实余楠对你非常尊重。她那次让你下不来台，她可后悔了！她这个人什么都好，就是太能装了。你看，郭鸣武那样的，谁都不怕，可一见到余楠就老实了！”

苏岩小心翼翼地解释道：“朱亮，余楠后来找我道歉的事儿，我一直没跟你说，我是怕你有想法！因为她当时跟我说，她找我你不知道。”

朱亮得意地说：“我偷着看她的手机来的，要不，我也确实不知道。”

苏岩说：“这种事儿，余楠为什么不告诉你呢？”

朱亮说：“她跟男人装蛋都装惯了，现在，她去向男人道歉！你想，她能好意思吗！”

朱亮重重松了一口气，“苏哥，说心里话，余楠跟你装完之后，我心里特别难受。你帮了我那么大的忙，反过来还让你受了那么大的委屈。我真是过意不去。我当时可为难了。你也看出来了，我根本管不了余楠。另外，我也不敢让她去向你道歉，当时，我可愁了。我真怕失去你这个朋友！”

苏岩有点无地自容，他停下车，诚恳地说：“朱亮，你放心吧！我永远是你的朋友！”

8

林河市周围一共有七个县，现在都变成了市。就是那种县级市。虽然进去一看还都是过去县里的模样，但人们的感觉不一样了。县公安局叫市公安局了。过去的中队长摇身一变成了大队长。苏岩带着记者们来到北南市公安局刑警大队。大队长是苏岩的同学。苏岩见面之后向记者们做了介绍,"这是中队长陆明。"陆明和记者们一一握手,他不动声色地更正道:"刑警大队,陆明。"苏岩急忙地抱歉地说:"对不起对不起,应该管你叫陆大队,我忘了你已经不是县里的了。"记者们也都跟着一口一个陆大队。

陆明笑道:"什么大队不大队的,叫我小陆就行。"他要给记者们接风。

苏岩说:"路大队,你看要不先听听情况?"

陆明说:"好好好!"

北南市的乌镇和小关镇也都发现了与照片上的男人相像的犯罪嫌疑人。苏岩详细地听了听情况,感觉小关镇的有点靠谱。他提出先到小关镇。陆明说:"好,我带人跟你们去。"苏岩说:"陆大队,你看这样行不行?咱们兵分两路,我去小关镇,你去乌镇。"

陆明说:"那让记者跟我去吧!"

过去苏岩张口就得骂他:"跟你去干鸡巴毛?"但现在考虑到,陆明已经是大队长,他给陆明留了个面子,他对郭鸣武、朱亮说:"你们俩跟陆大队去吧!"

记者们虽然不知道怎么破案,但他们也都能感觉出应该跟着苏岩去更好。

郭鸣武说:"让王晓光去吧!我们俩跟着你!"

王晓光反应更快,他马上说:"你个小年轻的,这又不是找小姐,让你跟谁,你就跟谁!"苏岩笑了,他没想到王晓光还能说出这种话。陆明看记者们都不愿跟着自己,也不好再说什么。

苏岩带着侦察员和记者驱车驶向小关镇。小关镇离市里很远,开车得4个小时。到了镇里已经傍晚了。这里的那个与照片相像的男人叫李旭。苏岩之所以对这个家伙感兴趣，是因为当地派出所找他的时候，李旭竟然跑了。苏岩来到了派出所，问了问情况。派出所的管片民警告诉苏岩，李旭最可能的藏身之处是他的奶奶家。苏岩说："那现在就去他奶奶家吧！"

记者们很兴奋，他们估计这回抓的应该是真的了。他们来到李旭的奶奶家之后，把照相机摄像机全都架好了。苏岩对他们小声地说："你们一会儿不要光拍我们，多拍拍派出所的警察！"郭鸣武说："明白，你就放心吧。"

苏岩带人进去了，他第一个破门而入。李旭还算老实，没反抗就被苏岩按在地上。地上的尘土弄了李旭一脸。苏岩打来一盆水把李旭的脸洗干净。苏岩很失望。李旭与那张照片的犯罪嫌疑人在长相上还是有很大差距的。

苏岩问李旭："派出所找你跑什么？"

李旭说："我……害怕。"

苏岩说："你害什么怕？"

李旭说："我……看见警察就害怕！"

排除了李旭之后，记者们心灰意冷。

王晓光说："又不是。"

苏岩说："对！又不是！"

派出所要留苏岩和记者们吃饭。

苏岩拒绝了。镇里只有一个招待所住宿条件很差。苏岩开车连夜又返回了北南市，他来到了华都宾馆。开了两个房间，他对记者们说："这是他们市里最好的，但和咱们市里比还是差远了。你们将就将就吧！"

王晓光自己住一个房间，郭鸣武和朱亮住另外一间。夜里，王晓光睡不着，他想要和苏岩聊聊。他打电话问苏岩住哪个房间了？他要去看看苏岩。

苏岩说:“你别过来了。我去看你吧。”

苏岩来了之后首先进了卫生间洗了一个澡。

王晓光说:“你咋不在你自己房间洗呢?”

苏岩说:“我们房间里没有。”

王晓光这才知道,苏岩和其他警察住在附近的招待所里。公安局对警察外出住宿标准是有限制的。过了标准不给报销。

王晓光拿出摄像机要过去拍拍。

苏岩说:“拍什么呀,都累一天了。你去的话还得把他们折腾醒。”

王晓光坚持说:“我去拍拍,这个事儿挺感人的!”

苏岩说:“有什么可感人的。你知道我们为什么住招待所吗?我告诉你吧,如果要是我自己出去的话,我肯定自己花钱住宾馆。可是,现在我领着这么多警察来,要是全住宾馆的话,回去纪检委肯定来查我。”

王晓光说:“你自己花钱住宾馆还有毛病吗?”

苏岩说:“当然有毛病了!他们得审查我哪来的钱?我得说,我的钱是我妈给我的。为了证明这一点儿,我得把我妈叫到公安局当面说清楚,你说这他妈的麻烦不麻烦?”

王晓光说:“确实挺麻烦。”他问苏岩:“那我们记者住宾馆的钱谁拿啊?”

苏岩说:“我拿呗!”

王晓光马上表示,“不用不用。”

苏岩说:“你别争了无所谓。我家有的是钱。”

王晓光说:“两码事儿。我们采访回去报销天经地义。”

苏岩说:“行了行了,你别说了。你告诉我,你找我干什么?”

王晓光说:“没什么事儿!我想找你聊聊。”

苏岩说:“有什么可聊了,赶紧睡觉吧。”

王晓光说:“我睡不着。”

苏岩没办法硬着头皮陪王晓光胡扯。后半夜的时候,苏岩接到了陆明的电话,他问苏岩,情况怎么样?苏岩讲了一下李旭,说已经排除了。他问陆明查的情况怎么样?

陆明说:“死的那个女孩是叫王晨吗?”

苏岩说:“对呀!”

陆明说:“这小子和王晨谈过朋友!”

苏岩心里一阵狂喜,但他不动声色地说:“这小子叫什么名?”

陆明说:“他叫于宁。”

苏岩说:“已经拿下了吧?”

陆明说:“还没有。我们去的时候,他已经不在了。”

苏岩吓了一跳,“他到哪去了?”

陆明多少有点紧张,“他……可能到他姥姥家去了。”

苏岩说:“他姥姥家在哪儿?”

陆明说:“山泉村!”

苏岩不高兴地说:“他跑进山里了?”

陆明说:“应该是。”

苏岩压制住怒火,尽可能平静地说:“这样吧,陆大队,我们马上赶过去。”

苏岩放下电话,王晓光已经收拾好东西。苏岩给郭鸣武、朱亮的房间挂电话,没人接。

王晓光说:“这两个小子可能唱歌去了!”

宾馆的六楼是夜总会。苏岩进来的时候看见有两个小姐坐在郭鸣武、朱亮的身边。苏岩什么也没说,走过去迅速地结了账。

小姐跟苏岩犯贱,“帅哥,我陪陪你呀!”

苏岩小声地骂道:“滚你妈个逼!”

苏岩瞬间变得十分阴冷的目光,把小姐吓了一哆嗦。她已经判断出苏岩的身份。两个小姐马上溜走了。

苏岩转身笑眯眯地和郭鸣武、朱亮说了于宁的情况,然后歉意地说:“两位实在对不起了,咱们得马上走。”

朱亮十分难为情,他一直回避着苏岩的目光。

郭鸣武神态自若,他说:“你不要以为我们是那种人!我们来这里主要是睡不着觉。你看那两个小姐那么漂亮,我们也只是让她们陪着我们说说话而已。我告诉你,苏岩,这也就是我们报社的记者觉悟高,这要是换成电视台的记者,保证就得干别的了!”

9

警察们赶到山泉村时已经接近凌晨了。陆明知道抓捕于宁可能要遇到麻烦,便集合了北南市刑警大队全体侦察员配合苏岩。他诚恳地对苏岩说:“我的人也由你指挥!”

苏岩说:“什么指挥不指挥的,赶紧进去抓人吧!”

进山村抓人是最令警察头疼的。在市里或镇里,老百姓见到警察抓人最多围观看热闹,可进了山里,就难说了。

将近三十人的队伍把于宁的姥姥家包围了。陆明第一个冲了进去,他麻溜地把于宁摁倒戴上了手铐。苏岩抬起于宁的头,仔细地看了看,心里非常高兴。这个于宁应该就是照片上的犯罪嫌疑人。

警察们带着于宁往外走。于宁的姥姥嚎叫着躺在自己家的院子里。她的哭声引来了于宁的大舅二舅还有于宁的大姨二姨。他们像狮子像老虎一样扑向警察。好在警察事先早有准备,陆明率领着自己的全体弟兄为苏岩等人开路。

可是,刚刚走出于宁姥姥家的院子,全村的男女老少差不多全都出动了。他们像潮水一样冲向警察。他们每个人手里有铁锹、木棒、耙子。按理说,他们用这些家伙对抗警察都白扯。警察手里有 64 式手枪和 79 式折叠式冲锋枪。只要警察一起向这些疯狂而来的村民开火,他们将会一片一片地倒下。可是警察不仅不敢开枪,还一个个把枪都藏起来了。

村民们早就知道警察不敢开枪,所以,见到警察拿着枪,他们不仅不怕还更加丧心病狂。常常把警察手里的枪打得满地都是。为了防止这种情况的发生,警察们只能把枪藏起来。

面对着村民手里的棍棒、铁锹、耙子,警察们唯一的武器就是血肉之躯。

苏岩的后背挨了一铁锹。高军的头部被打了两闷棍。市里的警察受伤不算严重,最严重的是北南市的警察,他们为了掩护市里的警察,个个差不多都头破血流。

记者们开始全都吓傻了,后来,他们醒悟过来抓紧时间迅速地拍照摄像。一些村民们把矛头也对准了记者们。

苏岩怕记者们吃亏跑过去让他们赶紧离开。记者们不想失去这么好的新闻场面,不停地拍摄。

局势越来越难以控制了。

陆明担心这样下去出大事儿,便咬了咬牙,亮出了冲锋枪。他向天一个点射。其他警察见状也掏枪接连向天空鸣放。

人群被一下子镇住了。

这时,天还没有大亮,苏岩趁机向村民喊道:“妈呀,警察疯了!”

说完,苏岩向村子深处跑去。村民以为苏岩是自己人立刻四处逃散。苏岩跑了一圈回来时,警察们押着于宁已经顺利逃出村子。

陆明开着大吉普车等着苏岩，苏岩上了他的车。大吉普车的消音器不太好使，陆明一脚油门到底，吉普仿佛拖拉机似的轰鸣着冲出了村子。

苏岩为陆明擦了擦头上的血，感激地说："陆大队，这次多亏你了！"

陆明不停地说："应该应该的。"

如果早把于宁抓住，也不会有这些麻烦了。这是陆明的失职。

陆明检讨道："开始没把于宁扣住，责任都在我。"

这个事儿要是让局长知道，得骂死陆明。

苏岩说："什么责任不责任的。现在不是把于宁抓住了嘛！陆大队，你放心吧，我回去不会和领导说没用的！"

陆明说："谢谢！"他十分后怕。万一这次他把于宁漏掉，局长决不会轻饶他。

苏岩说："你不用谢我，要谢的话，你就谢谢老天爷吧！咱们要是抓不着于宁。陆大队，我估计，陈局长得把你调到你们县里的生产大队了。"

10

陈凯鸣来到了高速公路收费站亲自迎接苏岩一行。为了拍到纪实效果，记者们坐着另外的车预先通过收费站。他们架好了机器，把感人的画面全都记录下来。

根据苏岩的要求，记者们着重突出陈凯鸣在纪录片中的位置。

有陈凯鸣亲切地握着刑警的手问寒问暖。有陈凯鸣亲自为受伤的干警擦拭伤口。有陈凯鸣在审讯室目光冰冷地审讯犯罪嫌疑人。总之,从画面上看,刑警们之所以取得了这么大的成绩,与公安局长是密不可分的。

记者们除了突出局长陈凯鸣,还突出了队长赵民。尤其是突出了北南市公安局刑警大队的干警。郭鸣武、朱亮把警察头上、脸上的伤口一张张放大,一张张地登在报纸的显著位置上。郭鸣武在通讯中写道,人民警察去抓罪犯,可人民群众却把警察当成了罪犯。他们用最原始的方法对待我们自己的卫士。人民卫士为此流了那么多的血。这些血如果是流在抓捕罪犯上,警察会为之自豪。可是,它们却流在了要保卫的人民群众的手里。面对着铁锹、木棒、铁耙子,警察们除了流血之外,还流下了难过的泪水……

报社的文章极其具有杀伤力。市委、市政府及市政法委的领导接连批示,对那些让警察流血还流泪的刁民依法严惩,决不手软。

记者们除了报道警察们为了抓捕罪犯不怕流血牺牲之外,更多的兴趣放在了于宁的身上。这之前,由于他的照片上了电视、报纸,人们对他的兴趣远远大于对警察的兴趣。于宁为什么杀王晨,他是怎样杀的王晨,于宁与王晨究竟是什么关系,成了人们茶余饭后关注的焦点。

为了尽快满足读者们的需求,郭鸣武不断地给苏岩打电话询问。苏岩非常不耐烦,他说:“还没有结案呢,我没法告诉你!”

郭鸣武说:“你向我透露点儿呗!”

苏岩说:“连我都不知道,我向你透露个鸡巴毛!”

苏岩现在对记者保持着高度警惕。这之前,苏岩已经嘱咐过他们,于宁虽然抓回来了,但还有很多非常具体的工作要去核实,只有把于宁交待的全都情况落实之后,才能算侦察终结。可是，记者们把苏岩的话当做了耳旁风，为了抢新闻，都在第一时间进行了报道。

现在记者还想对于宁为什么杀王晨进行深入报道。苏岩既怕记者们为了自身利益胡乱报道，另外他也确实不知道于宁为什么要杀王晨。于宁被抓来之后，关于他和王晨的关系一直拒不交待。

于宁年龄与王晨相仿，还属于孩子。苏岩对待于宁不想用对付其他流氓歹徒的办法。可这个小兔崽子以为警察好糊弄，还装起成熟来了。

苏岩说："你为什么不说？"

于宁说："我有权保持沉默。"

苏岩哭笑不得，他耐心地解释说："我们不知道的，你可以保持沉默，有些事儿，我们都知道了，你还保持沉默，你这就是在抗拒我们呐！"

于宁说："反正我就要保持沉默。"

在旁边做笔录的高军实在是忍不住了，他猛地拍了一下桌子，"你个小逼崽子，是不是给你脸了！"

高军长得高大威猛，他这么一喊，把于宁吓了一哆嗦。高军走到于宁的跟前，双手抓住于宁的双腿，头朝下把于宁扯起来。

于宁吓得面无人色。

苏岩让高军把于宁放下来。

苏岩把高军支走，然后进一步吓唬于宁，"你知道他是谁吗？他是王晨的四叔。"

于宁说："真的？"

苏岩说："你要不信的话，一会儿，我就不审你了。就让他来审你！我可告诉你，他现在恨死你了。"

于宁说："他恨我干什么？"

苏岩说:“你把王晨杀了,他能不恨你吗! 王晨是他的侄女!”

于宁说:“我没杀王晨!”

苏岩说:“我知道你没杀,问题是,你自己得说清楚啊! 你老和我们保持沉默,谁能证明你没杀呀!”

于宁在苏岩反复耐心细致的开导下,终于开始交代。他和王晨起初是在网上认识的。王晨说她长得非常难看,没有人追求她。于宁觉得她挺有意思的。因为在网上聊天很少有人说自己难看的。他们聊了有一个多星期,就去见面了。见面之后,于宁没想到王晨那么漂亮。于是,很快就发生了关系!

苏岩说:“你们在哪儿发生的关系?”

于宁说:“在金星宾馆。”

苏岩感觉有点不可思议。因为王晨当时已经被徐广泽养起来了。

苏岩说:“你和王晨第一次见面就上床了?”

于宁点了点头。

苏岩说:“是你主动的还是她主动的?”

于宁说:“是她主动的。”

苏岩说:“别胡说。”

于宁说:“我没胡说。真的。如果不是她主动的话,也不会到金星宾馆去开房啊! 宾馆的房间那么贵。我可舍不得。是王晨开的房也是她花的钱。”

苏岩说:“是吗!”

于宁点了点头,“要不,我一开始为啥要保持沉默呢! 我觉得我挺丢人的。我这是等于在吃软饭。”

苏岩说:“王晨喜欢你吗?”

于宁说:“喜欢。”

苏岩说:“怎么知道她喜欢你?”

于宁说:“她把什么都告诉我了!”

苏岩说:“都告诉你什么了?”

于宁说:“她告诉我她有一个……舅舅。”

苏岩说:“她是什么时候告诉你,她有这个……舅舅的?”

于宁说:“第二次。她领我到了她的那套房子里。”

苏岩说:“哪套房子?”

于宁说:“就是花园小区的那套。”

苏岩说:“几单元几门。”

于宁说:“三单元四零二。”

苏岩说:“你接着说。”

于宁说:“我被她领进去之后,我就估计出,她是被人养起来了。我挺害怕的,我怕碰到养他的那个男人。她就说,你别怕,那个男人是她舅舅。”

苏岩说:“她说没说那个舅舅是干什么的?”

于宁说:“具体的她没说。”

苏岩说:“你问了吗?”

于宁说:“没问。”

苏岩说:“你为什么不问?”

于宁说:“没时间。我去了,她就和我那样……做完,她就让我离开。”

苏岩说:“你喜欢她吗?”

于宁说:“喜欢。”

苏岩说:“你爱她吗?”

于宁说:“不爱!我不敢爱她!我没钱,我也养不起她。”

苏岩说:“王晨爱你吗?”

于宁说:“我说不清。王晨说她离不开我。还说,她跟那个舅舅是没办法,她父母都没有工作,是那个舅舅帮她父母找到了工作。她跟那个舅舅是为了报答他。她说她非常非常爱我。为了我,她可以放弃一切。"

苏岩说:"你相信她说的吗?"

于宁说:"我不……相信。王晨不爱我,她只是喜欢和我做爱。王晨的那个舅舅可能满足不了她!王晨的欲望特别大,每回我都得干她好几次……"

苏岩说:"你既不爱她还不相信她的话,那你为什么还和她在一起?"

于宁说:"因为她……总给我钱。"

苏岩说:"一共给了你多少钱?"

于宁说:"总的我没数过,每次差不多都能有两三百吧。"

苏岩说:"你和她最后一次是什么时候?"

于宁说:"是上个月的 3 号。"

苏岩说:"我们发出的通缉令,你已经看到了吧!"

于宁点了点头,"王晨不是我杀的。"

苏岩说:"不是你杀的,你为什么不到公安局说明情况?"

于宁说:"我……怕你们诬陷我。"

苏岩说:"你不要怕,我们绝对不会诬陷你。但这得有一个前提,你必须要实话实说,我再问你一遍,你和王晨最后一次到底是哪天?"

于宁说:"3 号!"

苏岩说:"王晨死之前和一个男人发生关系。这个男人的精液留在了王晨的身体里。我们经化验,这个男人的血型为 B 型,你知道,你是什么血型吗?"

于宁说:"我也是 B 型,但那肯定不是我留下的!"

苏岩说:"为什么?"

于宁说:“因为王晨死的时候是11号,而从3号以后,我就再也没看到她!”

苏岩说:“你怎么知道她是11号死的?”

于宁说:“你们通缉令上不都写着吗?”

苏岩说:“所以,你从时间上推断,那些精液不是你留下的?”

于宁点了点头。

苏岩说:“于宁,我告诉你,你的血已经送到我们公安厅进行DNA检验了。如果证明那些精液确实是你留下的。到时候,就算你不承认,我们也将对你涉嫌故意杀人依法提起诉讼!”

11

徐广泽出院后,黄敏起初让他在家呆着。可没几天,她又让徐广泽到海鲜世界来上班。她要时刻监视着徐广泽,不能给他任何单独空闲的时间。

为了防止徐广泽再犯类似错误,黄敏把海鲜世界的服务员进行了大清洗。漂亮的换成丑的。会拿情的换成倔强耿直的。能引起男人冲动的换成了整天呆若木鸡的。

徐广泽向苏岩诉苦道:“黄敏太过分了!”

苏岩说:“是她过分还是你过分呐,要不是你老婆给了你改邪归正的机会。你能有今天吗?”

徐广泽说:“她给我什么机会了?”

苏岩说:“你别不知深浅,要不是黄敏帮你平了那些事儿,我告诉你,王晨的父母都能把你闹死!”

徐广泽不吱声了。

苏岩说:“你现在乖乖地好好地反省自己吧!”

徐广泽说:“苏岩,我一直都在反省啊!可你不知道黄敏现在对我简直……她都不许我单独和女儿在一起!”

徐广泽的眼睛湿润了。

苏岩说:“你别委屈了,黄姨也是让你给吓怕了。”

徐广泽哽咽地说:“苏岩,我不想和她过了。”

苏岩说:“那你想跟谁过呀?”

徐广泽说:“我和谁过都比她强。”

苏岩说:“那可不见得。”

徐广泽说:“苏岩,你还别不服气。我虽然岁数大了点儿,但我照样可以找年轻的。”

苏岩说:“这我相信,可问题是,你找到年轻的就能保证她和你一心一意过日子吗?”

徐广泽说:“你这么说什么意思?”

苏岩说:“老徐,没用的话,我也不和你聊了。我今天来一是看看你,另外呢,有几个事儿,还得和你核实一下!”

徐广泽叹了一口气,“我就知道你来找我是有事儿。要不然,你才不来看我呢!”

苏岩说:“你看你,怎么还挑上我理了!我来看你得有时间呐。”

徐广泽说:“不是我挑你理,苏岩,其实我是想你了!”

苏岩小声地说:“是想我还是想别人了?”

徐广泽苦笑着没吱声。

苏岩说:“老徐,你跟我说句实话,你想王晨吗?”

徐广泽点了点头。

苏岩说:“你是爱上她了?”

徐广泽没有吱声。

苏岩说:“老徐,你告诉我,我绝对会替你保密的。另外,这些事儿本身也是我要必须了解的!”

徐广泽说:“你了解这些干什么?”

苏岩说:“你别问了,你快告诉我!”

徐广泽不说。

苏岩威胁道:“你要是拒绝的话,我就得把你带到公安局了。到时候,可就不是我来问你了!”

徐广泽说:“这么严重吗?”

苏岩点了点头。

徐广泽说:“你要问什么呀?”

苏岩说:“你是不是还在爱着王晨?”

徐广泽点了点头。

苏岩说:“王晨爱你吗?”

徐广泽又点了点头。

苏岩说:“你怎么知道?”

徐广泽的眼睛又湿润了,“王晨亲口告诉我的。”

苏岩递给徐广泽餐巾纸,“哭什么呀,你控制点儿!”

苏岩越说,徐广泽还越来劲儿,他竟然哽咽道:“苏岩,我非常非常想念王晨!她是我的小心肝!”

苏岩说:“王晨有男朋友,你知道吗?”

徐广泽说:“她没有。”

苏岩说:“她有。我们找的这个人正是她的男朋友!”

徐广泽说:“是吗!”

苏岩说:“王晨有男朋友,你丝毫没有察觉吗?”

徐广泽说:“王晨不可能有男朋友,要是有的话,会告诉我。”

苏岩说:“她有男朋友会告诉你?”

徐广泽说:“她能告诉我,她有什么事儿都告诉我。”

苏岩说:“她和别人约会也能告诉你?”

徐广泽说:“什么意思?”

苏岩说:“王晨在和你交往的同时,她另外还有男人!”

徐广泽说:“不可能。”

苏岩说:“王晨根本就不爱你,她爱的只是你的钱!”

徐广泽说:“我不和你争这个事儿。你说王晨男朋友这个事儿,其实王晨也和我说过。”

苏岩心里咯噔一下,他不动声色地说:“王晨是怎么和你说的?”

徐广泽说:“她这个男朋友在我之前就有的。”

苏岩说:“你怎么知道?”

徐广泽小声地说:“王晨和我的时候,已经不是处女了。她主动和我说的。”

苏岩说:“怎么说的?”

徐广泽说:“就那么说的吧! 现在的小男孩小女孩在一起免不了要冲动嘛。王晨说,她当时是在青春期,她对那个男孩一点儿感情也没有。她说,她的感情都在我的身上。”

苏岩说:“那他这个男朋友后来和王晨还有没有来往?”

徐广泽说:“没有。”

苏岩说:“你怎么知道?”

徐广泽说:“我倒希望他们有来往。”

苏岩说:“为什么?”

徐广泽不好意思地说:“她要是有了男朋友,不就是能掩盖我和她的关系嘛!”

苏岩笑了,“对! 你当时还想让我帮你掩护呢!”

徐广泽讨好地说:“王晨喜欢你!”

苏岩说:“她喜欢的人多了!”

苏岩把那张照片放在了徐广泽的面前,“王晨后来又和他睡过,你知道吗?”

徐广泽看了一眼照片，不太自然地说：“他们没睡过。”

苏岩说：“你怎么知道？”

徐广泽说：“王晨和我说，她和她这个男朋友只是在一起吃吃饭什么的。其他的不会干的。”

苏岩说：“光吃饭不干别的，那她这个男朋友干吗？”

徐广泽说：“干！我让王晨给他钱。”

苏岩慢慢地说：“这就是说，这个男孩你早就知道？”

徐广泽低下了头。

苏岩抬起徐广泽的头：“你快说。”

徐广泽点了点头。

苏岩说：“那你为什么以前说不知道。”

徐广泽说：“我……有点难堪……”

苏岩心里冷冰冰的，他凝视着徐广泽，“这就是说，你以前见过这张照片，对不对？”

徐广泽点了点头。

苏岩说：“那当时把你打昏的这个人究竟是不是他？”

徐广泽不吱声了。

苏岩说：“你快点说呗！”

徐广泽说：“我其实没看到是谁打的我。当时，那个人藏在门后。”

苏岩说：“没看见，你为什么说照片上的人是杀人犯呀？”

徐广泽说：“肯定是他！王晨要离开他，他不想离开，就来报复王晨！”

苏岩说：“所以，你就认为一定是他杀了王晨？”

徐广泽说：“难道不是吗？”

苏岩没有回答，他的眼睛直了，他说：“爹！”

徐广泽疑惑地看着苏岩：“你糊涂了！你怎么管我叫爹呢？”

苏岩说:“我没糊涂!”他用几乎哽咽的声音说:“爹呀! 你真是我的亲爹!”

第　四　章

1

苏岩刚到刑警队的时候，赵民认为苏岩这种小白脸在上面整天跟着局长吃香的喝辣的，已经过惯舒服的日子，现在突然下到刑警队这种人间地狱来，肯定吃不了这里的苦，用不了多久，苏岩就得主动要求回到局长身边。所以，赵民开始对苏岩采取的态度是关怀体贴式。他觉得和苏岩处好关系，就等于将来与局长处好了关系。可是，令赵民想不到的是，苏岩下来之后，却稳稳地在刑警队扎下了根。这让赵民心里产生微妙的变化。苏岩的工作能力在全刑警队首屈一指。特别是，局长陈凯鸣对苏岩那种父亲式的偏爱与呵护，令赵民感到自己的仕途一下子如履薄冰。这样下去，刑警队的一把手迟早会成为苏岩的。有了这种认识后，赵民不再把苏岩当做自己的手下，而是看成了竞争对手。

令赵民欣慰的是，苏岩似乎对他的位置并不感兴趣。苏岩最感兴趣的是破案和收拾犯罪分子。也正是因为苏岩缺少政治头脑，使得他的行为经常超出分寸，而让自己处在险境之中。不是被别人告了，就是涉嫌刑讯逼供被检察院咬住不放。如果不是陈凯鸣在关键时刻帮助苏岩，苏岩现在不进监狱也得被开除公安队伍了。

按苏岩目前的现状，赵民不应该再对苏岩有任何警惕了。但赵民还是不放心，他认为苏岩一旦把精力全部用在如何当官上来，苏岩还将是不可忽视的。富有的家境、广泛的社会关系都会帮助苏岩在最短的时间取代自己。面对苏岩，赵民有时不知如何是好。尽管在名义上，他是苏岩的领导，可他根本就领导不了苏岩。苏岩也拿他不当回事儿。高兴了有事儿跟他汇报汇报，不高兴了就直接去找陈凯鸣汇报了。赵民常常是有苦说不出。

王晨被杀这个案子让赵民感到十分难堪，他觉得无论如何也得和苏岩说道说道。

赵民把苏岩叫到自己的办公室。苏岩知道理亏坐在赵民的对面小心翼翼地看着赵民的脸色。

赵民亲自给苏岩倒了一杯水，他把内心的怨恨全都隐藏起来，他不想让苏岩看出自己没度量，他要让苏岩觉得，很多方面，他比苏岩更优秀。他心平气和地说着对犯罪嫌疑人于宁的调查结果。

赵民说："于宁的 DNA 检验报告，省厅已经电传到了咱们技术科。"他从桌子上拿起了几页电传纸，放在了苏岩的面前。

赵民说："留在王晨体内的精液不是于宁的！"

苏岩没吱声，傻呵呵地看着赵民。

赵民说："11 号的上午，于宁去参加同学何翔的婚礼。他和其他三个同学 10 号晚上就去了。当天夜里以及第二天的婚礼上，于宁始终在何翔的家里。杨远调来的何翔婚礼录像上，在上午 6 点、8 点、9 点等几个特殊的时间段上，都能见到于宁确实是呆在何翔的家里。何翔家住北南市郊区，从他家里到咱们市里往返至少要四个小时，仅仅从这点上就可以排除于宁的作案嫌疑。"

苏岩低下了头一声不吱。

赵民说:“你说说吧!”

苏岩说:“那就把于宁放了吧!”

赵民说:“放他肯定是要放,问题是这个于宁当初我们就不该抓!”

苏岩小声地辩解说:“都怨徐广泽把我骗了。”

赵民说:“是徐广泽把你骗了,还是你自己的工作没到位呀?苏岩呐,你怎么把责任都推到了别人身上!”

苏岩不吱声了。

赵民说:“苏岩,我不是批评你,你把一个根本就不是罪犯的于宁当做了重要犯罪嫌疑人,我觉得没什么了不起的。既然是犯罪嫌疑人,在案子没破之前,我们认定有误,我觉得很正常。可你的做法,实在是太过分了!”

苏岩不解地看着赵民。

赵民说:“你把于宁认定为犯罪嫌疑人,从发现线索到最终抓获他,应该完全是你一个人在主办。但你为什么要那么突出表现我呀?你看看电视上演的,净是我的镜头。好像这个案子是我牵头搞的。”

苏岩说:“这……都是记者拍的!”

赵民大声地说:“什么记者?你又推卸责任!我都已经问清楚了,都是你让记者这么拍的!”

苏岩浑身不自在。

赵民无可奈何地说:“你看你干的好事!我们使出吃奶的劲儿抓住了照片上的这个人,压根儿就不是罪犯,苏岩呐,我现在已经成了全市的笑料!”

苏岩低下头不敢看赵民。

赵民走到苏岩的跟前,把苏岩的头抬起来,“你对我是不是有意见呐？”

苏岩说：“赵队，我……”

赵民说：“你对我有意见呢，可能是我平时对你关心不够，你这么干，我可以理解。可问题是，你把陈局长也整出来是什么目的？”

苏岩说：“你这是什么意思？”

赵民说：“你把于宁押回来，是不是你给陈局长挂的电话？你给他挂电话什么意思，你的意思不就是让陈局长去接你们，好显得你们了不起吗！”

苏岩呆呆地看着赵民。

赵民说：“你没看那天的新闻吧，镜头里全都是陈局长的画面。现在大家全都认为是公安局的领导把人抓错了！”

苏岩也意识到问题的严重性。

赵民说：“苏岩你说你是不是太过分了！你当时为什么不先给我打电话汇报一下，这样的话，我去接你不就完了嘛！你说你让我赵民一个人丢人现眼还不够，你怎么还把陈局长推到了前面。你给他当过秘书，你应该知道啊，陈凯鸣不仅仅是咱们的局长，他其实代表着是咱们整个公安局的形象。你让他在全市人民面前丢尽脸面，你目的何在啊！”

苏岩呆呆地看着赵民。

赵民重重地叹了一口气，“这两天，你看见陈局长了吗？”

苏岩摇了摇头。

赵民说：“他的嘴上全都是水泡！”

苏岩又低下了头。

赵民说：“我今天不是批评你！其实，我也不敢批评你！我找你来是想给你提个建议，今后再有这种丢脸的事儿，你最好别给陈局长打电话了，你先告诉我行不行？陈局长对我不薄，我愿意以我微薄之力为他分忧!”

2

公安局召开全体干警大会,所有的警察整齐地坐在椅子里。苏岩眼望着主席台,心里不停地哆嗦着。

这几天,苏岩一直躲着陈凯鸣。他上下楼不坐电梯,上下班不走正门。凡是可能与陈凯鸣遭遇的地方,他都小心地回避。他实在是没脸去面对陈凯鸣。当然,他也明白躲是躲不掉。陈凯鸣想要见他,随时随地都能办到。令他多少有些奇怪的是,陈凯鸣也没有主动找苏岩。往常这种情况,陈凯鸣往往会在第一时间把苏岩叫去一顿臭骂。

苏岩其实在心里既害怕又渴望见到陈凯鸣,他希望陈凯鸣好好骂他一顿。因为陈凯鸣只要出了气,这个麻烦基本上也就算过去了。但这次苏岩还判断不出,陈凯鸣会如何收拾自己。陈凯鸣迟迟不接见自己可能也没想好如何惩罚的办法!

这令苏岩十分紧张。这好比已经举起准备砍人的菜刀,什么时候放下却迟迟不说!

苏岩觉得这次全体干警大会,这把菜刀可能就要落在自己的头上了。陈凯鸣的脾气十分暴躁,他经常对干警破口大骂。苏岩估计会上陈凯鸣至少会当着全体干警的面,痛骂自己一顿。

会议的主题是表彰奖励。这令苏岩更是不知所措。因为他也在被表彰之列。会议开始后,苏岩和其他受到表彰的干警一起走向了主席台。

干警的目光全都集中在苏岩的身上。社会上以为抓错人是公安局领导失误造成的,但在公安局内部都已经知道,抓错人令警察抬不起头的罪魁祸首就是这个还好意思上台领奖的小白脸。

苏岩站在主席台，感到脸上火辣辣的。陈凯鸣走到他的跟前亲自为他颁发证书。

苏岩浑身颤抖地接过证书。他的手在哆嗦，仿佛接过来了一枚已经冒烟的手榴弹！

陈凯鸣目光平静，脸上还带着成熟的微笑。他拍了拍苏岩的肩膀，亲切地说：

"干得不错！"

苏岩真想钻进地缝当中。

发完奖，按会议程序是获奖代表发言。

由于苏岩过去有突出贡献，这次还是由他发言。苏岩步履蹒跚地走到麦克风前，声音有点颤抖地说："我……们今天取……得的成绩，都……是在各级领导的殷……切关……怀下取得的，我……们做的还不够，我们会继……续努力，争取更……大的成绩！"

苏岩讲完，会场非常寂静。不知谁首先拍了两下手掌，接着，引来一片掌声，随即，会场里响起雷鸣般的掌声。

掌声如潮水涌来，经久不息！

苏岩如同雕像站立在麦克风前。他代表获奖干警不是第一次发言了。每次都是象征性拍几下就拉倒了。可这次却如同惊涛骇浪！

苏岩在心里祈祷："操你妈，你们快住手吧！"

陈凯鸣伸手示意了一下，掌声才慢慢地平息下来。他说："掌声很热烈啊！"

台下的干警一阵哄笑。

会议进行最后一项，陈凯鸣做最后总结发言。这时，台上已经领完奖照完相的干警向台下走去。苏岩三步两步走到了最前面。但他刚刚走到台口。陈凯鸣却忽然把他叫住,让他一个人单独站在台上。

苏岩心想,完了,完了!要拿我开刀了!

站在主席台上,苏岩扬起傻逼呵呵的头颅,假装毫无畏惧地扫视着台下干警们各种各样的目光。

陈凯鸣发言了。

苏岩的心揪到了嗓子眼。

陈凯鸣冷冷地说:"刚才大家的掌声,虽然很热烈,我却听到了另外一种声音:那就是嘲笑!"

陈凯鸣威严地扫视着台下,他忽然大声地喊道:"我们抓错了人,我们丢了人!你们认为这一切都是苏岩造成的是不是?"

会场上一片静寂!

陈凯鸣平静了一下说:"苏岩当时上来的这条线索是经过我们整个专案组认定的。这个失误与他本人无关。我们抓错了人责任不在苏岩,这主要是因为案子本身的复杂性所决定的。如果要追究责任,这是我们当领导的责任!"

陈凯鸣亲切地看了苏岩一眼,继续说道:

"同志们。大家可能也都清楚,现在我们这些当领导的日子不太好过。社会上说我们是草包说我们是饭桶,总之吧他妈的说什么的都有。但无论别人怎么说,我们对自己要有一个正确的态度。是的,我们辛辛苦苦找照片上的这个人,抓照片上的这个人,现在终于找到了,抓到了,却发现这个人根本就不是我们要找的人。这个事实肯定会令我们很多干警在心里产生失落情绪,我们有些人可能会觉得我们这么长时间的工作是白干了!有这种想法是绝对错误的!我们的工作不仅没有白干,我认为,我们干得很好很出色。不说别的,我们仅仅凭借这么一张微不足道的照片,就从茫茫的人海中,仿佛大海捞针一样,把他捞了出来。这说明了什么？这说明，我们有一支十分过硬的刑侦队伍，特别是，我们有一批在关键时刻能叫得响的中坚力量。我相信，这样的队伍，没有攻克不了的堡垒。我相信，这样的队伍，没有战胜不了的困难！”

3

罗杨给苏岩打电话：“你现在忙吗？”

苏岩说：“不忙。”

罗杨说：“你到我这儿来一趟，可以吗？”

苏岩说：“我马上过去。”

罗杨是纪检委二处处长。苏岩过去因为违纪没少和他打交道。平时，罗杨对苏岩可不是这个态度，他总是那种命令的口吻，苏岩吗，到我这来一趟。

苏岩来到了罗杨的办公室，罗杨先是和风细雨地问苏岩当时是如何找到于宁照片的？苏岩一五一十地回答后，罗杨却忽然严肃地问道：“你为什么能找到那张照片？”

苏岩说：“我就那么找到了，我也不知道为什么。”

罗杨笑了笑，“你真的不知道吗？”

苏岩说：“我真的不知道。”

罗杨说：“你是不是早就知道王晨有这样一个男朋友？”

苏岩说：“罗处长，你想说什么就直接说吧！”

罗杨说：“你和王晨有什么关系吗？”

苏岩说：“我和她什么关系也没有，我们只是一般的认识。”

罗杨说：“不对吧！”

苏岩说：“那你说我和王晨是什么关系？”

罗杨说：“你们俩好像谈过恋爱！”

苏岩说："没有。"

罗杨说："王晨有一次和你一起去见你母亲这个事儿有吗？"

苏岩摇了摇头，"没有。"

罗杨说："真没有吗？"

苏岩说："你可以去调查我母亲。"

罗杨突然说："你是什么血型？"

苏岩说："我不知道。"

罗杨说："你不知道自己的血型？"

苏岩说："我确实不知道。"

罗杨说："那现在我们给你化验一下，你反对吗？"

苏岩说："为什么？"

罗杨说："因为你涉嫌与王晨谈过恋爱！"

苏岩说："就算这样，我这违法吗？"

罗杨说："于宁不也是涉嫌与王晨谈过恋爱，才被你抓起来吗？"

苏岩说："也是。"

罗杨用征求的口吻，"现在化验一下？"

苏岩点了点头。

罗杨拿起电话，拨通了电话："纪检委罗杨，你哪位？啊，崔科长，你好你好！你派个人到我这儿来一趟……抽血化验一下血型。好好好！"

技术科副科长崔雪峰亲自来了。他进屋之后见到苏岩，不解地说："他抽血呀？"

罗杨点了点头。

崔雪峰走到苏岩的跟前，苏岩挽起袖子，露出了胳膊。

崔雪峰没话找话："胳膊挺白呀！"

苏岩说："我身上更白！"

崔雪峰说："真淫秽！"

崔雪峰在苏岩的胳膊上抽出了大约一百毫升的血。

苏岩说："你抽这么多干什么？"

崔雪峰说："你别问了。"

苏岩说："你抽的是我的血，我当然得问问了！"

崔雪峰说："无可奉告！"

苏岩瞪着他，崔雪峰笑道："你就当这次是义务献血了！"

崔雪峰出门前对罗杨说，"一会儿，我把结果告诉你！"

崔雪峰出门之后，罗杨拿出香烟，抽出一支甩给苏岩，苏岩在空中接住，随后，把烟放在了罗杨的桌子上。

罗杨说："嫌我烟不好？"

苏岩说："我戒了！"

罗杨说："啊，戒了！"他拿起烟放在嘴边，像是等着苏岩为自己点燃。苏岩装糊涂，他说："罗主任，你也戒了吧。我听说，你的身体也不太好！"

罗杨说："可不咋的，糖尿病！"他拿起桌子上的打火机自己点燃了香烟。

苏岩说："你的糖尿病是几型？"

罗杨没回答而是突然问道，"你和王晨那次没见你妈，那你们干什么去了？"

苏岩说："我要说去干什么，你能相信吗？"

罗杨说："那就看你说不说真话了！"

苏岩说："你怎么能判断我说的是不是真话？"

罗杨说："你说完我一听就知道！这是我的长项。"

苏岩说："是吗！"

罗杨说："怎么样，说说吧！你和王晨干什么去了？"

苏岩说："我和王晨哪儿也没去。"

罗杨说:“那她为什么说和你一起看你母亲了?”

苏岩说:“王晨为什么这么说,你应该去问王晨呐,你怎么来问我呢?”

罗杨有点气愤,这时,电话响了,他拿起电话听了听,放下了。他神态凝重地看着苏岩,“结果出来了。”

苏岩不动声色地看着罗杨。

罗杨说:“问你一个问题,有人在王晨的体内留下了精液,你知道是什么血型吗?”

苏岩说:“B型。”

罗杨说:“你知道你是什么型吗?”

苏岩说:“我不知道。”

罗杨说:“你也是B型。”

苏岩说:“是吗,这么巧!”

罗杨说:“我们准备把你的血拿到公安厅进行DNA检验,你有意见吗?”

苏岩说:“我当然有意见了。”

罗杨说:“你有什么意见?”

苏岩笑了,“罗处长,我不是说你,你有点法盲啊!我一不是犯罪嫌疑人,二不是你们审查的对象,你凭什么呀?”

罗杨说:“苏岩,我怎么感觉你好像有点心虚呢?”

苏岩说:“我不心虚,我肾虚。”

罗杨拍了一下桌子,“你严肃点儿!”

苏岩说:“你拍桌子干什么嘛!至于嘛!好,我承认我现在心虚。”

罗杨说:“你为什么心虚?”

苏岩说:“这不太正常了!与犯罪分子的血型一样,换成你你不心虚吗?”

罗杨看着苏岩一时没话了,这时,电话的铃声又响了。罗杨接起电话,听了听,“啊,好！我知道了。”

罗杨放下电话看着苏岩,慢慢地说道:“你别心虚了！刚才技术科搞错了,你的血型应该是A型。”

苏岩看着罗杨没有吱声。

罗杨说:“你可以走了。”

罗杨说完又点燃了一支香烟。

苏岩站起身走到门口回头语重心长地说道:“罗处长,还是把烟戒了吧！真的,吸烟一点好处都没有。我看过一个报道,全世界每年因吸烟死亡的人比因糖尿病并发症死亡的多出二百五十倍!”

4

苏岩开车来到了电视台。这里管理很严,外来人一般不准进入。苏岩以前每次来,王晓光都在会客厅接待他。这次苏岩想到王晓光的办公室去坐坐。王晓光说:“好好好!”他领着苏岩来到了电梯前,保安拦住了。王晓光指着苏岩说:“这是嘉宾。”

苏岩和王晓光来到了办公室。屋子里乱糟糟的,到处是录像带。

苏岩说:“你们咋不收拾收拾?”

王晓光说:“这不是显得工作繁忙嘛!”

苏岩说:“你这两天找我干什么?”

王晓光说:“我想给你们做一个专题片。”

苏岩说:“什么方面的?”

王晓光说:“就是关于这个案子的!”

苏岩说:“你还要做什么呀？你还嫌全市人民知道的少啊!”

王晓光说:“我知道我们的报道给你们造成了麻烦。但你不能埋怨我们,谁让你们抓错人了呢!”

苏岩说:“我没埋怨你。”

王晓光说:“你别这么垂头丧气的。虽然这次你们抓错了人,但我觉得,这比你们抓对了人更有价值。”

苏岩不解地看着王晓光。

王晓光解释说:“以前我对你们公安工作真不了解,这次和你们跟踪采访,我才知道,你们太不容易了。”

苏岩笑了,“谢谢你理解我们。”

王晓光说:“你别笑。你没明白我说的是什么意思。”

苏岩应付着说:“我明白我明白。”

苏岩让王晓光把那天在山泉村抓人的录像带拿出来放一放。

王晓光找出带子塞进机器里。监视器屏幕上出现了群众围攻警察的画面。

苏岩认真地看着。

王晓光说:“你看看,你们这么辛苦这么不容易,人民群众根本就不知道。”

苏岩一边看着画面,一边应付着王晓光说:“是呀!我们这么辛苦,你倒是给我们宣传宣传啊!”

王晓光说:“我就是这个意思。我想用艺术的手法好好表现表现。苏岩,我是这么想的,你看对不对?你们公安局不是神仙,你们是人,你们有些案子破不了,是很正常的。但人们对你们却从来不这么要求。他们觉得你们是警察,警察就得一定破案。案子破了,你们得到了荣誉得到了奖励。案子没破,你们得到了埋怨,得到了压力。其实,案子没破不是你们不努力,而是没线索。苏岩,我有这种感觉,很多没破的案子,你们要付出更多的精力。”

苏岩说:“何止是精力啊!”

王晓光说:“可是无论你们付出多么惊人,只要案子不破,你们这种付出就等于毫无价值。人们只关心你们是否破案,从不关心你们是否付出。你们的付出只有在破了案,才能得到回报。可是,不可能所有的案子都破啊!”

苏岩说:“这些话,你应该和市委书记去说说。”

王晓光说:“我用不着和他说。苏岩,我现在想拍一个这样的专题片,我要让全市的人民群众了解了解你们的不容易。”

苏岩警惕起来,“怎么了解?”

王晓光说:“我要把你们这些日子来围绕王晨的案子所经历种种辛苦,一五一十地向大家展现出来。”

苏岩说:“现在案子还没破,你们展现这个有什么用啊?”

王晓光说:“我刚才说了那么多,不就是在说这个问题嘛!我要让大家理解你们。”

苏岩说:“不可能理解。”

王晓光说:“我要是拍出来,大家就理解了。”

苏岩笑了,“王晓光,你是人不是神。我们干的这个逼养工作就是这个性质。领导、群众衡量我们历来就是只看结果,不看过程!”

5

苏岩现在一见到徐广泽,目光里就充满了迷茫与困惑。他握着徐广泽的手,痴呆地说:“爹,你是我亲爹!”

苏岩第一次这么说的时候,徐广泽还能接受,可现在每次见面都这样,徐广泽受不了。他一看见苏岩就躲。可他躲到哪儿,苏岩就追到哪儿！

徐广泽躲进了卫生间，苏岩跟着进了卫生间。

徐广泽说："我拉屎你进来干什么？"

苏岩依然迷茫地说："爹，你是我亲爹！"

徐广泽说："你出去吧，你爹要拉屎了！"

苏岩说："爹呀，你为啥要拉屎呀？"

徐广泽说："你是我爹！爹呀，我求求你，你赶紧出去。你在跟前，我拉不出来！"

苏岩说："爹呀！你糊涂了，你怎么管我叫爹呀！"

徐广泽没招了，他大声地把黄敏喊来。苏岩也怪，只要黄敏来了，他立刻就完全正常了。见面又像往常一样，黄姨长黄姨短。

徐广泽对黄敏说："妈呀！你把我爹请到办公室去吧！"

黄敏说："谁是你爹呀？"

徐广泽指了一下苏岩，"他是我爹呗！"

苏岩不解地看了徐广泽一眼，接着小声地问黄敏，"黄姨，他怎么了？"

黄敏说："别理他！苏岩，他精神病！"

苏岩说："咋不领他去看看呢！"

黄敏说："看了。医生说他是更年期。"

黄敏把苏岩让到了自己的办公室。过去，这个办公室是徐广泽专用的。从徐广泽犯错误之后，黄敏就把徐广泽撵了出去。平时，徐广泽来了没地方呆，黄敏就让他到厨房里去帮着切菜。

苏岩说："黄姨，老徐毕竟是经理，你总让他去切菜，不太好吧！"

黄敏说："你不知道，我刚认识他的时候，他就是个切菜的！"

苏岩说："是吗！真看不出来！"

苏岩和黄敏没东没西地聊着。平时,苏岩见黄敏有事儿说事儿从不谈没用的。这次,苏岩却没完没了地说着。现在整个饭店全由黄敏负责,她没时间陪苏岩。

黄敏说:“苏岩,我和你说个事儿。你们单位到我这儿来调查你知道吗?”

苏岩说:“不知道啊!”

黄敏说:“我和你说了,你千万千万别漏出去。你们单位一个姓罗的处长来的。他问,你和王晨在9号晚上干什么去了?我还纳闷,他怎么知道。我就和他实话实说了。苏岩你别对我有想法,因为那天王晨和你干什么去了,我也不知道。王晨当时和我说,是和你一起看你母亲。苏岩,我这么说,是不是给你添麻烦了?”

苏岩说:“没添麻烦。”

黄敏还要说什么,苏岩已经知道是怎么回事了,就把话题又扯到了徐广泽的身上。

苏岩说:“黄姨,你刚才说徐总到更年期了,是真的是假的?”

黄敏笑了,“我也不知道,我是瞎猜的!”

6

与曹勇那种打打杀杀相比,刘元魁属于阴险范畴。一般人都不敢得罪他。晚上,几个狐朋狗友在昆都酒店宴请刘元魁。他们特意找来一个小姐调节气氛。小姐挨着刘元魁大哥长大哥短。刘元魁来了兴致,滔滔不绝地讲起了故事。他长得白白净净,不了解他的底细,真以为他是个文化人。他舒舒服服地搂着小姐,信口开河地说着。说完第一个故事,大家热烈地欢笑着。旁边妩媚的小姐亲昵地依偎在他的肩膀上。小姐说:“刘大哥,你再给我们讲一个!”

刘元魁说:“好,我再讲一个!”

刘元魁的手顺着小姐的领口伸了进去。他一边摸着小姐,一边开始讲第二个故事:

“有两个日本人整了几台日本车到中国来卖。中国这帮傻逼全都给买下来了。于是,这两个日本人发财了。操他妈的,你说你们俩本来是赚的中国人民的血汗钱,那就在中国消费呗!不,这两个逼养玩艺儿,到西班牙马德里去了。马德里正在举行斗牛比赛。他们要去捧场。因为那个斗牛士是个日本人名叫山本五十七。”

大家随着刘元魁绘声绘色地白话,不时笑着。刘元魁有点天赋,无论别人怎么笑,他就是不笑。他说:

“西班牙吧斗牛场有一种时尚。就是把牛斗死以后,专门吃这头死牛。在斗牛场的旁边,就有这样的饭店。我刚才说的这两个日本人看完比赛也去吃饭了。他们见到别的客人正在吃牛鞭,也要牛鞭。老板说,真对不起,你们来晚了,没有牛鞭了。两个日本人不干了。他们说:‘这头牛是我们日本人山本五十七干掉的,你不让我们吃这个牛鸡巴,我们很愤怒!’这个饭店是中国人开的,老板是个广东人,他一见日本鬼子愤怒了,急忙说:‘两位太君,千万不要生气。牛鸡巴确实没了,你看这样好不好?你们要是愿意吃的话,你们明天早点来。我谁都不卖,就给你们俩留着。’这两个日本人也像我似的,属于文化人,见老板这么说就同意了。他们说:‘行。明天我们俩连比赛都不看直接就来吃这个牛鸡巴!’老板说:‘你们就放心吧,这个牛鸡巴我谁也不卖,就卖给你们俩。’”

刘元魁不紧不慢地说着,他停下来喝了一口酒。旁边的小姐着急地问:

“完了呢？”

刘元魁说：“第二天，这两个日本鬼子早早地来了。老板说话算数，比赛一结束，老板就把他们要的鸡巴上来了。这两个日本人一看上来的鸡巴又不高兴了，他们向老板喊道，你讽刺我们是不是？老板说，没有啊！日本人说，就是！你他妈的认为我们日本人长得小对不对？老板就很纳闷，他说：‘太君，我没这个意思啊！’日本人站起来指着盘子里的鸡巴说：‘昨天你给别人上的牛鸡巴那么大，今天给我们上的这么小，你这不是分明讽刺我们日本人的鸡巴小嘛！’老板说：‘两位太君，你们误会了。这不是牛鸡巴。’日本人说：‘不是牛鸡巴，那是什么鸡巴？’老板难为情地解释说：‘今天比赛出了点意外，你们的斗牛士那个山本五十七让牛给顶死了。这是他的鸡巴！’”

大家哈哈笑着。

刘元魁把手从小姐的领口拿出来，又从下面放进了小姐的裙子里。大家都知道刘元魁在干什么，但谁没当回事儿。他们沉浸在快乐中。小姐大概是舒服了，她把身体贴近刘元魁继续亲昵地说：

“刘大哥，再讲一个！”

刘元魁一本正经地问：“你知道刑警队的苏岩吗？”

小姐点了点头。在座的这些人不光这个小姐知道，差不多全都知道。因为他们大都被苏岩收拾过。

刘元魁说：“苏岩上个月到新疆沙漠的事儿，你知道吗？”

小姐说：“这我可不知道。”

刘元魁问大家：“你们知道吗？”大家也说，不知道。刘元魁说，那你们想不想听啊？大家说，想听想听。刘元魁说，好，既然大家想听，我就给你们讲讲。

刘元魁还是一边摸着一边讲着：

“苏岩吧大家都知道他在咱们这儿有点名气。人吧不能太有名！出了名有时候就不知道姓什么了！为了显示他比别人勇猛，他到新疆要一个人穿越塔克拉玛干沙漠。操你妈，沙漠那么好穿越啊！但苏岩为了装他比日本人还牛逼，就牵着几匹骆驼独自走进了茫茫的沙漠里。进了沙漠，他就后悔了。为什么呢？操他妈的，大沙漠里没女人啊！你们不了解苏岩，这个逼养操的是个淫棍。一天不干女人，都不行。在那一眼望不到边的沙漠上，傻逼苏岩牵着骆驼走着走着，就产生了极强的欲望。他实在是憋懵了，他竟然毫无人性地对一个母骆驼非礼！但他万万没有想到，就在他实施这种强奸犯罪行为时，这头母骆驼却不畏强暴一脚就把他踢了出去。苏岩非常痛苦，他想不明白，连他妈的一个母骆驼都会如此爱惜自己的贞操。正当苏岩感慨之余，他忽然发现前面不远处有一个美丽的少妇倒在路边。”

刘元魁看了一眼旁边的小姐，“她比你还漂亮。操他妈的，那简直是让男人看了就想干呐！苏岩非常狡猾，他没有急于下手。他走上前看着少妇。少妇说，大哥，我要喝水。苏岩紧忙把自己身上带的水慷慨地给这位少妇喝了。不一会儿，少妇就彻底缓过来了。她感激地望着苏岩。她说：‘如果不是你救了我。我现在就已经死了。我这条命是你给我的。我真不知道怎么报答你……现在你向我提个要求吧，我保证答应你！’苏岩乐坏了，他高兴地问：‘真的吗？’这个少妇吧也是骚货一看苏岩这个表情就明白咋回事儿，她还假装害羞地说：‘真的。你无论提什么要求，我都答应！’见此情景，苏岩激动地说道，那我求求你，你帮我把那头母骆驼摁住呗！’”

刘元魁认为他讲完会引来更为猛烈的欢笑。因为他知道这些人和他一样都恨苏岩，用这种方式拿苏岩取乐应该是大家共同的心愿。可是，令刘元魁感到意外的是，他讲完之后，谁都没乐,不仅没乐,一个个表情还很异样。

刘元魁坐的位置是背对着门。刚才,他光顾着摸着小姐胡说八道了,苏岩进屋之后,站在他的身后,他竟然一点都不知道。刘元魁回过身表情僵硬地看着苏岩。

苏岩客客气气地拍着手,“刘老师,讲得真精彩。”

刘元魁说:“这……不是我讲的,是别人讲的……”

苏岩说:“谁讲的?”

刘元魁说:“曹勇讲的。”

苏岩说:“你知道曹勇是听谁讲的?”

刘元魁说:“这我可不知道。”

苏岩说:“你个笨蛋,他是听我讲的。”

苏岩说话不紧不慢仿佛也是一个文化人。可在座的这些人全都紧张地看着苏岩。他们知道眼前的这个小白脸能在笑得最灿烂的时候,突然把你打翻在地。

苏岩把目光移向刘元魁身边的小姐。

苏岩:“感觉有点面熟啊!”

小姐说:“苏……哥!”

苏岩说:“你管我叫什么?”

小姐知道苏岩最忌讳她们这种人叫苏岩哥,她急忙改口说:“苏……老师。”

苏岩笑了,“操你妈,我还成老师了。”

小姐见苏岩笑了,急忙起身为苏岩倒了一杯饮料。“苏老师,请。”

苏岩点了点头,表示感谢。

小姐站起身,说:“对不起,我出去方便一下。”她拎起包出去了。其他人也都纷纷找借口离开了。

雅间里只剩下刘元魁和苏岩。

苏岩喝了一口饮料,拿起一双筷子津津有味地吃了起来。

刘元魁小心翼翼地看着苏岩。他搞不明白苏岩找他是什么目的。

苏岩说:“刘老师,你太幽默了。麻烦你,再给我讲一个呗!”

刘元魁说:“我……”

苏岩说:“你可别说你不会讲啊!”

刘元魁硬着头皮讲了一个:“我在马路边发现一分钱,我刚想弯腰捡,原来是口痰!操他个妈,谁吐这么圆?”

苏岩笑了。

刘元魁说:“苏哥,你找我什么事儿?”

苏岩说:“你别紧张,什么事儿也没有。刚才,我在隔壁,听到你说话就过来看看。”

苏岩把筷子扔到桌子上,起身向外走。走到门口,他又回身像是想起了什么,“我上次找你,你还记得吗?”

刘元魁说:“记得记得。”

苏岩说:“我是因为什么找你来的?”

刘元魁小声地说:“你不是怀疑是我把那个女孩杀了嘛!”

苏岩说:“哪个女孩来的?”

刘元魁说:“就那个王晨吧,她不是都上电视了嘛!”

苏岩说:“啊!对!你记不记得,我当时和你说没说王晨是我什么人来的?”

刘元魁说:“说了。你说她是你的女朋友!”

苏岩冷冷地走近刘元魁,刘元魁胆怯地向后躲着。

苏岩说:“你相信她是我的女朋友吗?”

刘元魁说:“我不相信。”

苏岩说:“不相信,你为什么要和别人说呢?”

刘元魁说:“我……没说呀!打死我也不敢说呀!”

呢!”

苏岩揭露道:“这么说来,你是故意配合罗杨吓唬我了?”

崔雪峰只好说:“是他让的。我也惹不起他啊!”

苏岩说:“你说他为什么敢吓唬我?”

崔雪峰说:“那不明摆着嘛,肯定有人给你写匿名信了!”

苏岩夸张地拍了一下脑袋,“对呀!我怎么就没想到呢!”

8

赵民把苏岩找到自己的办公室,询问苏岩挨审查的事儿。苏岩一五一十地说了。赵民很惊讶,他说,这个事儿,罗杨怎么事先不跟我打招呼呢!苏岩似笑非笑地说:“真的?他拿你这个刑警队长也太不当回事儿了!”

赵民说:“苏岩,虽然罗杨找你只是吓唬吓唬你,但你也确实有些事儿没有讲清。比如,你那天拉着王晨到底干什么去了?”

苏岩说:“赵队,你这是在审讯我吗?”

赵民说:“不是。我只是随便问问。”

苏岩说:“你要是随便问问,我就和你随便说说。那天我压根儿就没拉王晨出去。”

赵民笑了,“你不想说实话。”

苏岩说:“要不,你立案审查我算了!”

赵民说:“苏岩,你对我有想法啊!”

苏岩说:“你是队长,我敢对你有想法吗?”

赵民心平气和地说:“现在你能不能告诉我,你和王晨到底是怎么回事儿!”

苏岩实实在在地说:“徐广泽想要把王晨给我介绍当女朋友。我领王晨出去吃了一回饭。就是这么回事儿。”

赵民说:“既然你和王晨有过这种交往,我建议你,对这个案子的侦破,从现在开始,你回避回避吧!”

苏岩说:“你这是建议还是命令?”

赵民说:“是命令!”

9

苏岩走进电话亭,给余楠拨通了电话。苏岩说:“你在干什么?”余楠的口气很冷淡,她问,“你谁呀?”苏岩说:“我是苏岩。”余楠立刻高兴地说,“你怎么才打电话呢!我这两天还找你呢!”苏岩说:“找我干什么?”余楠说:“你说干什么?有事儿呗!我正在开会,过一会儿,我给你打过去。”

苏岩心里好笑,连个工作都没有,还整个开会出来。

苏岩在电话亭里,呆了十分钟,余楠拨通了苏岩的手机。她无限亲昵地说:“你真敢说,当时朱亮就在我身边!”

苏岩说:“是吗!给你添麻烦了。”

余楠说:“你在哪儿呢?”

苏岩说:“我在大街上呢!”

余楠说:“在大街上干什么?”

苏岩说:“我看看有没有人丢钱包什么的!”

余楠说:“我这两天真想找你来的。”

苏岩说:“那怎么没给我打电话呢!”

余楠说:“我怕你烦我。”

苏岩说:“你找我干什么?”

余楠说:“你找我干什么?”

苏岩说:“你先说。”

余楠说:“你先说嘛!”

苏岩说:“你忘了你的东西还在我这儿呢!”

余楠说:“什么东西?”

苏岩说:“上次你让我给你买的……”

余楠笑了,“你觉得漂亮吗?”

苏岩说:“找个时间,我给你?”

余楠说:“先放你那儿!对了,你猜,我找你干什么?”

苏岩说:“我猜不出来。”

余楠说:“有人欺负我了。”

苏岩说:“谁呀?”

余楠说:“曹勇。”

苏岩说:“是吗!”

余楠说:“上次因为朱亮的事儿。曹勇知道了我的电话号码,他一没事儿就给我发那种短信!可恶心人了!”

苏岩说:“发就发吧,这说明他喜欢你。”

余楠说:“你说说他呗!”

苏岩说:“怎么说呀?”

余楠说:“你让他别再骚扰我了。”

苏岩说:“你不是能装嘛,你和他也装一装,他就不敢了。”

余楠说:“不好使。他脸上那道伤疤,我一看见就哆嗦。苏岩,你教训教训他呗!我受别人欺负了,你都不管我!我想好了,曹勇要是再给我发短信,我就给他打电话说,我现在是你的女朋友了!”

苏岩说:“为什么?”

余楠说:“他怕你,我一说是你的女朋友,他就不敢骚扰我了。”

苏岩说:“可问题是你也不是我的女朋友啊!”

余楠说:“那就让我假装当一回呗!”

苏岩说:“这样不好。你这一装吧,很可能就会传出去。我这等于抢了朋友的女朋友。余楠,你看这样行不行?你把曹勇约出来,我当面教训教训他!”

余楠说:“你让我约他?”

苏岩说:“对呀!”

余楠说:“他要是产生别的……想法怎么办?”

苏岩说:“就是让他产生别的想法嘛!”

余楠说:“你想害死我!”

苏岩说:“你听我解释。他只是给你发过短信。这还不够严重。我要想教育他,我必须得抓住点儿把柄。余楠,你听我的,你把他约到饭店里来,到时候,你少穿点儿,打扮得性感一点。”

余楠说:“为什么?”

苏岩说:“他一看你穿那么少,他就会以为你要勾引他。他肯定对你要说些过分的话。这样,我就可以收拾他了。”

10

余楠的衬衣是半透明的,里面的乳罩时隐时现。另外,她还穿上了短裙,性感的长腿一览无余。

曹勇进屋之后,目光就盯视着余楠。余楠知道苏岩就在隔壁,所以,她说话的语气很冲,她说:“曹先生,请你今后不要再给我发那种短信了。”

曹勇乐了,“你这是在警告我呗!”

曹勇笑的时候,脸上的伤疤被拉长了。余楠一下子就害怕了。曹勇起身坐在余楠的旁边,他把手放在了余楠的腿上。余楠站起来,坐在了稍远的位置上。

曹勇说:“你请我吃饭,离我那么远干什么?”他起身又坐到了余楠的跟前。他把手又放在了余楠的腿上。

余楠哆嗦地说:“曹……先生,你不要碰我。”

曹勇说:“我没碰你,我只是想摸摸你!”

余楠尽可能镇静地推开曹勇的手,“我男朋友马上就要来了!”

曹勇说:“你男朋友?他来就来呗!他来也得瞅着。”

余楠在心里这个气呀。该死的苏岩怎么还不进屋?她拿着手机不停地拨打苏岩的手机。他们事先约定,只要她一打苏岩的电话,苏岩就会进屋来。可是,余楠打了不下十次,苏岩也没动静。

曹勇问:“你这是给谁打电话呀?”他的手又在余楠的上身乱摸。余楠站起身来,曹勇也站起来走近余楠。

曹勇说:“别跟我装了,其实,你非常想让我干你。”

余楠吓坏了,她指着曹勇,“你老实点儿,警察马上就来了。”

曹勇笑了,“警察怎么的!我又没强奸你。余楠,你别紧张,你把衣服脱了,让我摸摸就拉倒。”

曹勇搂住余楠,余楠大声地嚎叫起来。

这时,有人推开门。余楠趁机推开曹勇,可是,进来却是服务员。余楠气得要昏过去。曹勇心平气和地对服务员说:“你给我拿盒中华,要软包的。”

服务员离开了。

曹勇继续色迷迷地走近余楠。

余楠的眼泪都要出来了。

曹勇说:“宝贝,把衣服脱了吧!别装了,我知道朱亮满足不了你。来吧……”

这时,门又开了。

曹勇背对着门,他以为是服务员进来了。他说:“你把烟放在桌子上吧！”

服务员没有吱声。

曹勇回头见是苏岩，他的表情一下子僵硬了。

苏岩客客气气地看着曹勇，“曹老师，你好！”

曹勇哆哆嗦嗦地说：“苏……哥！”

苏岩指了一下余楠，低三下四地说：“曹老师，你认识她吗？”

曹勇立刻否认道：“不……认识。”

苏岩说：“我给介绍一下。这是我的女朋友。”

曹勇说：“是……是吗？”

苏岩说：“不信，你问她！”

曹勇把目光移向余楠。

苏岩对余楠亲切地说：“你是我的女朋友，曹老师不相信，你告诉他呗！”

苏岩姗姗来迟，差点把余楠吓死。她没理苏岩，把头扭向一边。

苏岩转身看着曹勇，态度依然温柔地说：“我女朋友不太高兴。曹老师，让你见笑了。”

曹勇最怕看到苏岩彬彬有礼的样子，他知道这时的苏岩会随时随地把他打翻在地。他见苏岩向自己走来，扑通跪在了地上：“苏……哥，饶了我吧！”

曹勇跪在了地上。苏岩也跟着跪在了地上，他更加客气地说：“曹老师，你这是干什么呀！”

两个人面对面跪在地上，把余楠搞糊涂了。

曹勇换了一个角度跪向余楠，他谦卑地说：“大姐，我错了。”这时，苏岩也把脸对准余楠，也学着说：“大姐，我错了。”

余楠憋不住捂着嘴笑了起来。她边笑边把苏岩扶起来。

曹勇又跪向苏岩：“苏哥，你看我姐笑了。我姐已经原谅我了。”

苏岩傻乎乎地问余楠：“姐，你原谅他吗？”

余楠笑着不说话。

曹勇跪着爬向余楠：“妈，我错了。你就原谅我吧！”

余楠从没见过这种架势，她笑着转过身。曹勇又对苏岩说：“爹，我妈已经原谅我了！”

苏岩半真半假地骂道：“操你妈，你管我叫爹，管她叫妈。你那意思，你是我和她生的呗！”

曹勇说：“对呀！爹！你都忘了，当时，我妈生我的时候难产！你看我脸上这道疤，不就是我妈做剖腹产时留下的吗！”

苏岩说：“你少跟我扯王八犊子。剖腹产怎么还能剖到你脸上去！”

曹勇说：“真的！爹，做手术那个大夫才毕业……”

余楠实在听不下去，她对曹勇说：“你快走吧！”

曹勇急忙站起来，拿起包向外走。

苏岩说：“曹勇啊！”

曹勇转身看着苏岩。

苏岩说：“明天九点……”

曹勇机灵地接话道：“我到你办公室。”

苏岩说：“行啊！我想什么你都知道。”

曹勇讨好地说：“你不是我爹嘛！”

曹勇离开房间后，苏岩立刻恢复了常态，他检讨道：“余楠，实在对不起。我没想到曹勇会这么快就对你……这样。”

余楠没说话，她坐在苏岩的旁边，殷勤地为苏岩倒饮料。

苏岩说：“今天怨我，我应该早点儿进来。”

余楠夹起一块鱼放进了苏岩的嘴里。

余楠说：“好吃吗？”

苏岩说："好吃。"

余楠又夹了一块更大的。苏岩张开嘴，只咬掉了一半。

余楠把剩下的鱼块放进了自己的嘴里。她看着苏岩轻轻地咀嚼着，"你说的没错，确实挺好吃的。"

11

苏岩开车送余楠回家，余楠把身体靠在苏岩的肩膀上。她的手拉着苏岩的胳膊。

月亮通过车窗垂挂在不远处的夜空里。

月亮弯弯的，像一只女人的脚。

余楠没说自己的家住在什么地方，苏岩也没问。他开着车漫无目的地行驶在空旷的街道上。

余楠说："真好。"

苏岩说："好什么？"

余楠说："你拉着我呗。"

苏岩找到了一个阴暗处，把车停了下来。他熄灭了发动机，把椅背放平，躺了下来。

余楠也把椅子放平，侧身躺在苏岩的旁边。

苏岩微微闭着眼睛。

余楠摸着苏岩的头发，"在想什么？"

苏岩没吱声。

余楠说："我的东西你给我带来了吗？"

苏岩说："什么东西？"

余楠说："你给我买的……那个东西！"

苏岩说："我忘拿了。我放在家里了。"

余楠说："你放在家里什么地方？"

苏岩说:“床头。”

余楠说:“我不相信。”

苏岩说:“真的。每天睡觉前,我都要拿出来欣赏欣赏。看着它们,我就能想起你的身体!”

余楠把苏岩的眼睛扒开,笑眯眯地说:“撒谎。”

苏岩说:“我没撒谎。”

余楠说:“你说的事儿应该是真的!但你肯定没看我的。告诉我,你看过谁的?”

苏岩说:“我家只有你的,你说我还能看谁的?”

余楠说:“你要是看我的话,你肯定就不会说出来了。”

苏岩笑了。

余楠说:“你笑什么?”

苏岩说:“你把头抬起来。”

余楠不知道苏岩要干什么,她抬起头。苏岩一只手伸进余楠的后背挑开了乳罩的扣子。另外一只伸进了余楠的衣服里,大大方方地摸着余楠的鼓胀的乳房。

苏岩的动作迅速果断一气呵成。

余楠用手在衣服外面捂住自己。她说:“你干什么?”

苏岩说:“不干什么,我摸摸。”

余楠说:“你怎么说摸就摸呢!”

苏岩说:“摸你还得请示吗?”

苏岩除了摸之外,还捏上了。

余楠说:“轻点儿!疼!”

苏岩说:“两个怎么不一样大呢?”

余楠说:“谁的一样大?都是一大一小。”

苏岩说:“是吗?以前,我还真没注意。”

余楠小声地说:“你……摸够了吗?”

苏岩说："你不想让我摸了是不是？"

苏岩把手抽出来。他还让余楠抬起头，他在后面把扣子为余楠系好。

余楠说："你可真熟练。你是不是没少摸吧！"

苏岩说："这和摸多摸少没关系，关键要掌握动作要领。哎，刚才我摸你舒服吗？"

余楠说："我不知道。"

苏岩说："你看你！"

余楠说："我真的不知道，刚才，我光害怕了。"

苏岩笑了，"你怕什么呀！是不是我太野蛮了，我应该先把手放在你的脸上，摸摸你的脸，等你适应之后，再逐渐深入是不是就会好一些。"

余楠小声地说："苏岩，我真的害怕！"

苏岩轻轻地摸着余楠的头发，"别怕别怕！我刚才吓着你了是不是？"

余楠说："你也不是这样的人呐！"

苏岩解释说："你知道是怎么回事吗？刚才，我一下子想到你说我喝多了摸过你，但我确实记得没摸过你。我就想检验一下我到底是不是真的摸过你！"

余楠把身体贴近苏岩，依偎在苏岩的怀里。她说："真的吗？"

苏岩说："你看我什么时候骗过你？"

苏岩变得温柔无比。

余楠说："我喜欢你现在这个样子。"

苏岩说："你告诉我，我那天真摸你了吗？"

余楠说："没有。我以前是在逗你。你知道刚才我为什么害怕吗？那天你喝了那么多的酒，你都能老老实实。现在呢，你一点都没喝却……”

苏岩说：“这很简单。你以前从来没穿得这么性感。今天，我一看见你就像得了脑血栓似的，浑身颤抖得不听使唤了！”

余楠亲切地摸着苏岩的脸颊，“你还这么好玩呢。”

苏岩说：“今天晚上我要是有事儿来不了，怎么办？”

余楠说：“你就把我坑了。”

余楠说着浑身颤抖了一下。

苏岩爱抚地搂紧了余楠。

余楠说：“苏岩，我胆其实可小了！”

12

让谁到公安局来不是说来就来的。没事儿的话谁愿意到公安局来呀？普通人没有法律手续，完全可以拒绝。但像曹勇这样流氓地痞，警察只要说让他来一趟，一般来说，他们都会规规矩矩来的。这不是说，他们不懂法，而是他们这种人轻易地不敢和警察讲法。

九点不到，曹勇就轻手轻脚地敲着苏岩办公室的门。

苏岩说：“谁呀！进来。”

曹勇进来之后，笑眯眯地说：“苏哥，是我。”

苏岩说：“啊呦，曹老师，快请快请。”

苏岩微笑着又是找烟又倒水，曹勇紧张地看着苏岩。他不怕苏岩严肃，就怕苏岩微笑。笑里藏刀啊！

苏岩说：“我现在也不抽烟了。所以，也没什么好烟，你将就抽吧！”

曹勇说：“苏……哥，这就不错了。”

苏岩和曹勇掀扯了几句，高军进来了。曹勇点头哈腰地说：

"高……哥!"

高军说:"你怎么现在像个小偷似的。"

曹勇说:"我一……看见你就害怕!"

高军说:"是不是做什么亏心事儿了!来,说说吧!"

曹勇说:"没有!"

苏岩对高军说:"别吓唬他,他现在是我的老师。"

高军说:"是吗,哪方面的老师啊?"

苏岩说:"我准备和他学学怎么搞女人!"

高军指着曹勇:"操你妈,你怎么不教我呢?"

曹勇嘿嘿地笑着,不敢接话。他知道,这帮坏警察随时随地会给自己挖一个陷阱。

高军说:"我问你话呢!"

苏岩说:"你客气点儿!这是我老师。"他向曹勇摆了一下手,意思跟他出来。

苏岩把曹勇带到了审讯室。表面看像是要单独和曹勇聊点儿私秘的事儿,但在这种地方,曹勇更加心里没底儿。

苏岩说:"我今天找你来是想跟你说说心里话。曹勇啊,我心里苦啊!"

曹勇坐在椅子里目不转睛地看着苏岩。

苏岩说:"你可能不知道,现在不让我搞那个杀人案了。"

曹勇说:"为什么?"

苏岩小声地说:"我们单位怀疑我,说是我杀了王晨!"

曹勇吃惊地看着苏岩,"真的?"

苏岩点了点头。

曹勇说:"为什么?"

苏岩说:"有人给我们单位写了一封匿名举报信。"

曹勇不解地看着苏岩,"苏哥,你不是怀疑我吧!"

苏岩没吱声,他像是在想着什么。

曹勇说:“苏哥,我……可与这个事儿不沾边啊!”

苏岩说:“你听过一个关于我的故事吗?”

曹勇说:“什么故事?”

苏岩说:“就是我在沙漠里把一个骆驼干了。”

曹勇说:“没有啊!”

苏岩心平气和地把那个故事讲了一遍。

曹勇说:“这个故事我还真头一次听说。”

苏岩说:“操你妈,曹勇,你真不实在,这个故事就是你最先讲的。”

曹勇马上说:“苏哥苏哥,你听我解释。这个故事绝对不是我讲的,它是刘元魁讲的。”

苏岩说:“你不要抵赖了。我问刘元魁,刘元魁说是你讲的。”

曹勇说:“刘元魁胡说。苏哥,他的话,你怎么还信呢?”

苏岩说:“行了。你别说了。曹勇,你说我操骆驼吧,你说没说,我都不会往心里去的。因为我知道你是在开玩笑,但你要是说我……”

曹勇信誓旦旦地说:“苏哥,我向你发誓,我绝对没有做过对不起你的事儿!”

苏岩说:“你不用发誓,你就是做了对不起我的事儿,我也觉得很正常。我总欺负你……”

曹勇说:“苏哥,你没欺负我!”

苏岩显得情绪特别低落,他说:“好了好了这个事儿不提了。”

苏岩不吱声了,曹勇也不敢吱声。他认真地看着苏岩琢磨着苏岩这次找他来到底是什么事儿。

苏岩说:“曹勇,你知道我是历来把工作看得比什么都重要,可是,现在呢操他妈的,不让我工作了。我心里真是苦啊!我这样下去,你说我会不会崩溃啊?”

曹勇说:“不会吧!”

苏岩说:“悬呐!我现在天天老想着这件事儿,就算不崩溃我也可能患上精神病啊!曹勇,你帮我想个什么办法,你看我怎么能摆脱这种痛苦呢?”

曹勇嘿嘿地笑着。

苏岩说:“你笑什么呀?”

曹勇说:“要不,现在你去搞个女人吧!”

苏岩疑惑地说:“搞女人?”

曹勇说:“搞了女人,你就忘记工作上的痛苦!”

苏岩像是恍然大悟似的,“对呀!曹勇,你说的有道理啊!可问题是,我去搞谁呀!”

曹勇嬉皮笑脸地说:“那……个我妈不是挺好吗?”

苏岩说:“你妈?”

曹勇说:“就是余楠。”

苏岩显得不太好意思,“可我感觉你挺喜欢她的!”

曹勇说:“我喜欢她没用,她得喜欢我才行啊!苏哥,我能看出来,她非常非常喜欢你!你要是搞她,她保证愿意!”

苏岩说:“真的?”

曹勇说:“百分之百的。”

苏岩像是想起了什么,“哎,你和余楠是怎么认识的?”

曹勇说:“上次朱亮那个事儿。她和朱亮一起去找我,他们一块给我拿的钱。”

苏岩说:“那你怎么会有余楠的电话?”

曹勇说:“当时我们在一起吃饭,我假装手机没电了,就向余楠借。我用她的手机往我自己的手机打了一下，就这么留下了她的手机号。苏哥，我和余楠什么事儿都没有。我确实想干她，但我一直没有机会。特别是，后来知道你和朱亮是朋友，我就不太敢去骚扰她……”

苏岩说：“你想多了。我没怀疑你。我现在担心什么你知道吗？我担心，我要是和余楠搞上了，那朱亮不得恨死我。我和朱亮好歹也算是朋友啊！古人说的好啊，朋友妻不可欺呀！”

曹勇笑了，“苏哥，都什么年代了，还在乎这个？现在大家都想开了，谁搞到手就算是谁的。再说，余楠不是还没嫁给朱亮嘛，顶多是你抢了他的女朋友，这根本就不算个事儿！”

苏岩一本正经地说：“你还不了解我嘛！我这个人传统观念挺强。”

曹勇说：“苏哥，这样的话其实更好办！你就让余楠当你的情人呗！刚才，我没好意思说，像余楠这种女人，你让她当情人比当老婆更合适！”

苏岩说：“为什么？”

曹勇说：“你没看见余楠的体形？小腰大屁股。这种女人天生就是骚货。你要是把她娶到家，你就得天天防着她出去胡搞。”

苏岩说：“真的假的？”

曹勇说：“我有切身体会。我老婆蒋丹就是这样的人。操她妈的，我天天看着她，可这个逼养操的还是能在我眼皮底下出去鬼混。有两次，我抓住她差点儿把她打死。她当时向我保证那个诚恳啊，可过几天，她又管不住自己了。苏哥，你要是把余楠娶回家，万一她也是这样的人，你说你将来不得跟着遭罪嘛！”

苏岩说：“有道理啊！”

曹勇说：“你让余楠当你的情人最好。朱亮那么个窝囊废，余楠将来就是嫁给他,他也不敢管余楠。就算万一,他知道余楠是你的情人,他也得装糊涂。他明白,余楠不找你当情人,也得找别人当情人。我分析,弄不好,朱亮还喜欢让余楠去给你当情人呢!"

苏岩说:"为什么?"

曹勇说:"就余楠这样的,如果不给你当情人,你看着吧,几天她就得换一个。朱亮能受得了吗!余楠给你当情人的话,朱亮只是戴了一顶绿帽子。要是不让余楠当你的情人,那朱亮不一定得戴多少顶绿帽子呢!"

苏岩说:"曹勇,你挺深刻呀!看起来,你真得当我的老师啊!"

曹勇嘿嘿地笑着。

苏岩说:"你笑什么呀?我说的都是真的!"

曹勇这才小心翼翼地说:"苏哥,你今天找我到底什么事儿,你能不能明说?"

苏岩笑了,"我没事儿,我就是想拜你为师!"

13

苏岩来到报社,保安冯军热情地向苏岩打招呼。

冯军说:"你来找谁呀?"

苏岩说:"我来找你啊!"

冯军说:"找我干什么?"

苏岩说:"我们还是认为是你杀的人!"

苏岩说话的语气非常严肃,冯军吓得不吱声了。

苏岩说:"逗你玩,我来找朱亮。"

冯军说:"你别老吓唬我。"他让苏岩直接上楼。

苏岩上了楼来到了记者办公区。这是一个很大的房间，中间用挡板隔成一个个小房子。记者们在各自的房子里，或看着电脑打字或小声地打着电话。

朱亮正在用拖布擦着地板，苏岩走到他的跟前拍了拍他的肩膀。朱亮抬头见是苏岩立刻热情地放下拖布，“苏哥，你怎么来了？”

苏岩说：“我路过顺便过来看看你！”他看了一眼拖布，“这活儿你怎么还干呢？”

朱亮说：“屋子里的地板归我们记者。他们都忙，我就随便扫扫。”

苏岩说：“我帮你扫啊！”

朱亮说：“不用不用。你到会客厅等我一会儿，我马上就下去。”

苏岩说：“没事儿，我闲着也是闲着。”他帮助朱亮换了一桶水，很快擦完了地板。

两个人来到了报社的会客室，苏岩看了看表，“中午，我请你吃饭吧！”

朱亮说：“你到我这儿来了，我请你。这附近有一家饭店，鹅做得特别好吃。”

两个人来到了这家饭店。朱亮和饭店老板很熟悉。老板岁数不大，是个年轻的美女！

朱亮对她介绍说：“这是苏岩，公安局的！”

美女伸出小手，笑眯眯的，“你好你好！”她亲自安排了一个雅间。她问朱亮，吃什么？朱亮说：“我们两个人就吃那个炖大鹅！”老板除了安排了大鹅，还额外上来了四个鲜族拌菜。苏岩说：“这个老板想的真周到。”朱亮说：“我们报社的总来，她都知道我们喜欢吃什么！”

苏岩说："老板娘叫什么？"

朱亮说："盛薇，过去在我们广告部呆过。"他问苏岩："苏哥，你今天找我有事儿吗？"

苏岩说："曹勇总骚扰余楠你知道吗？"

朱亮摇了摇头。

苏岩简单地说了一下过程，他说："余楠前天把我找去了，我当时以为你也会在呢！"

朱亮说："这些事儿余楠从来都不告诉我。"

苏岩说："是吗！她为什么不告诉你？"

朱亮说："告诉我，我也解决不了。"他叹了一口气，"也怪余楠。她跟谁都装，像曹勇那种人，跟他装不找没趣嘛！苏哥，这个事儿多亏你了！你看，我的事儿你操心，我女朋友的事儿，你还得跟着操心。给你添麻烦了。"

苏岩说："你真客气，咱俩不是朋友嘛，这都是应该的！"

朱亮给苏岩的杯子倒满了饮料。两个人干了杯子里的饮料。

苏岩认真地说："朱亮，有个事儿，我得问问你。"

朱亮说："什么事儿，这么严肃？"

苏岩说："余楠老找我办事儿，你说句心里话，你愿意吗？"

朱亮却不解地说："苏哥，怎么了？余楠老去找你，你烦了是不是？"

苏岩说："她是你的女朋友，她老找我，你没想法吗？"

朱亮笑了，"她找你我能有什么想法啊！你是不是认为我会吃醋。不能！你是我的哥哥，她去找你，我还挺荣幸呐！真的，她上次跟你装，我心里一直可内疚了，现在她能主动和你处好关系，我求之不得。"

苏岩说："你真这么想的吗？"

朱亮说:“苏哥,我和你还用得着撒谎吗? 我说的都是真的。我现在只是担心余楠老去找你办事,你会不会烦呀?”

苏岩说:“那倒不会,可问题是,她老这么找我,我总感觉好像不是那么回事儿。你看要不这样,你回去说说她,她再有什么事儿的话,你让她通过你来找我。”

朱亮不自然地笑了。

苏岩说:“你笑什么?”

朱亮说:“就刚才这些话,我要是回去跟她说,她该以为我对她不放心了。”

苏岩说:“就她这样的,总背着你找别的男人,你本来就应该不放心嘛!”

朱亮说:“苏哥,你不了解余楠。其实,她很少找男人办事儿。你看像郭鸣武这样的,上赶着去帮她,她都不会找他的。余楠能够找你,说明余楠对你非常信任。”

苏岩说:“她信任我,你能信任我吗?”

朱亮说:“我更信任你了!”

苏岩说:“你说的是心里话吗?”

朱亮说:“多大个事儿呀! 我没必要和你撒谎!”

14

夜里,苏岩一个人开车来到了酒吧里。他象征性地要了一杯酒,静静地坐在角落里。起初,他没想喝,后来,他好像无意之中喝了一口,慢慢地,他就把全杯都喝了。最后,他一共喝了六杯。还好,喝完酒,他走出酒吧全吐了。胃里的东西吐空了,连尚未消化的鹅肉也一块吐了。吐完,苏岩给高军打电话让他过来。

高军来了之后把苏岩扶进车里，他不解地问：“因为啥喝成这个逼样？”

苏岩说：“不让我搞案子，我难受。”

高军说：“你滚鸡巴蛋吧，你告诉我，到底因为啥？”

苏岩说：“我想搞女人，可总没机会。”

高军笑了：“要说搞女人可能还靠点儿谱，和我说说，看上谁了？”

苏岩说：“我看上你女朋友了。”

高军说：“真的？那我可太谢谢你了。”

高军一直把苏岩送到了家里，苏岩也没说他因为啥喝成这样。高军说：“过去你喝多的时候还能说点儿实话，现在他妈的喝多了也不说实话了。”

其实，苏岩自己可能也说不清到底因为啥。他只是感到心里堵得慌。他以为喝点儿酒，能好些。可越喝越他妈的难受。这次喝酒让苏岩产生了坚强的意志，他决定今后无论因为什么都不再喝酒了。

苏岩这次喝多可能和余楠有关。

苏岩和余楠在一起吃饭的时候，他隐隐约约地听到过手机振动发出的嗡嗡声。开始他以为是余楠把手机调到了振动档。后来，他发现余楠有两部手机，一部正常接听，一部处在振动状态。

苏岩趁余楠上卫生间时在她的兜子里发现了那部手机。他用那部手机给自己的手机拨了一个号。于是，他得到了余楠这部秘密手机的号码。

苏岩起初并没有打算调查余楠，他觉得他和余楠不会有太深的交往，他没必要去窥测别人的生活。但后来他改变了主意。

调查的结果出乎苏岩的意料。

余楠的这部手机上只有两个电话号码，一个是手机一个是固定电话。

固定电话的地址是华隆小区。苏岩记得有一天夜里，余楠就是在华隆小区附近给自己打的磁卡电话。根据那天的通话记录看，下午 3 点 17 分，那个手机和余楠的手机通话 35 秒。傍晚 6 点 19 分，那个华隆小区的固定电话和余楠的手机通话了 7 秒。

大概是当天夜里 11 时，余楠从华隆小区出来和苏岩通了话。

余楠这天活动可能是这样：下午她接到电话大概是知道晚上要约会的事儿。晚上，她又接到电话，她知道那个人已经到了华隆小区。与那个人约会结束后，余楠又给苏岩打了电话。

苏岩实在不想接受这个事实，可面对着真实的数据，他又不得不接受。

苏岩不想接受的原因主要是和余楠约会的这个人有点特殊。

他叫朱云山，是朱亮的父亲！

第　五　章

1

星期天的早晨，苏岩在迷迷糊糊中被手机的铃声惊醒了。他拿起电话，看了看显示屏幕，是余楠的电话。他刚想接，电话就断了。苏岩挂回去，听到的是对方忙。过了一会儿，苏岩打了过去。

余楠说："对不起，把你吵醒了吧！"

苏岩说："怎么了？"

余楠说："没怎么的。"

余楠的语气不太自然。

苏岩说："快告诉我到底怎么了？"

余楠犹豫了一会儿，"我家里有点儿事儿，我想用趟车。"

苏岩说："好好好，没问题。我马上过去。"

余楠说："不用了。"

苏岩说："你看你这个人。告诉我，你在哪儿？"

余楠说："你到西七条路来接我吧！"

苏岩三下五除二穿好了衣服。他开车来到了西七条路。这里离华隆小区不远。

苏岩到的时候，余楠已经站在路口了。她上了车十分客气："真不好意思这么早给你打电话！"

苏岩说:“咱们到哪儿?”

余楠说:“北南市。”

余楠没说家里到底出了什么事儿,苏岩也没细问。赶往北南市的路上,余楠接到了一个电话,她不高兴地说:“你让我去找,我又不认识他,怎么找啊!你直接给他挂电话不就完了。”电话里在说,找的那个人关机。让余楠再等他的电话。余楠说:“行了行了。不用你了。”

余楠关掉了手机放进了兜里,苏岩用眼角注意到,余楠用的是另外那部手机。

苏岩小声地说:“什么事儿呀?”

余楠有点不好意思,她不想说。

苏岩说:“事儿大吗?”

余楠说:“不大。”

苏岩说:“要是不大的话,你就跟我说说。我们这种小人物专门善于办小事儿。”

余楠说:“我爸昨天晚上打麻将让派出所抓进去了。”

苏岩说:“哪个派出所?”

余楠说:“北南镇派出所。”

苏岩说:“你爸叫什么?”

余楠说:“余地。”

苏岩说:“余地!这个名起得好啊!”他边说边给陆明打了电话:“陆大队,你在干什么?”

陆明说:“我在睡觉呗!”

苏岩说:“和谁一起睡觉?”

陆明说:“和你老婆。”

苏岩说:“舒服吗?”

陆明说:“舒服!”

苏岩说:“既然这么舒服,你做点贡献。我岳父余地昨天晚上让你们北南镇派出所抓进去了。说是因为打麻将,我告诉你,纯粹是扯鸡巴蛋儿。我岳父根本就没打,他在旁边看眼儿,就被你们派出所抓去了。现在全市公安机关都在搞三项教育,派出所这么搞有点过分呐!陆大队,你赶紧去一趟……”

陆明说:“苏岩,你要想走后门,你就直说。你要是跟我讲政策,我就不管了。”

苏岩说:“吹牛逼你不管!你把我老婆睡了,我岳父就是你岳父!赶紧地起床。我现在马上进收费站了。”

苏岩与陆明真真假假,把余楠的脸整得红一阵白一阵。她轻轻地打着苏岩,“流氓!”

苏岩开车来到北南镇派出所的时候,陆明的车已经停在门口了。他对余楠说:“你别进去了。你就在车里等着吧!”

余楠打开包像要拿钱。

苏岩说:“你干啥呀?”

余楠说:“你请他们吃点儿饭。”

苏岩说:“真有意思。我们是人民警察!不喝群众一口水,不吃群众一口饭!”

余楠的父亲余地昨天晚上因为和邻居打麻将带到了派出所。派出所要每人罚款五百块钱。其他的那三个人都交了罚款,唯独余地死活不交。

余地规规矩矩地站在派出所的墙根。苏岩当着派出所的所长和陆明的面,大声地埋怨余地:“爹呀,爹呀,我和你说一百遍了。这个麻将不能再打了。咱们家的房子都让你给输掉了,你怎么就没记性呢?”

余地被苏岩说糊涂了。苏岩偷偷地向他使了一个眼色。

余地马上心领神会,他痛心地说:“孩子,我……错了,今后,我一定改邪归正!”

苏岩向派出所所长说:“我爸现在是一分钱都没有了。罚款的钱我拿吧!”

苏岩装模作样地打开兜子要拿钱。

陆明和派出所所长小声地说:“苏岩你不认识嘛。他是陈局长的秘书。现在陈局长派他到刑警队锻炼,马上就要提局里政治处主任了。”

所长说:“是吗!”他主动把苏岩的手按住,“算了算了。告诉你爸今后注意点儿!”

苏岩说:“谢谢。”

办完事儿,苏岩在走廊里和陆明小声地说:“这个所长快了!一个邻居打麻将,抓个鸡巴毛啊!”

陆明说:“苏岩,这里的派出所跟你们城里比不了。他们要是不罚点儿,镇里财政都不给他们开支。”

苏岩说:“那也不能瞎整啊!”

陆明说:“行了行了,你本身不就是来走后门嘛!”

苏岩拿出五百块钱,“你请他们吃饭吧!”

陆明笑着接过钱,又塞进苏岩的兜里,“你留着一会儿请你岳父吃吧!”

苏岩把余地领出派出所,笑呵呵地说:“大叔,我来晚了。你受委屈了!”

余地说:“啊呀,小同志,你真会说话!”

苏岩把余地让上了车。

余地见到余楠多少有点不好意思。

余楠说:“爸,你可真行!这回还让派出所抓进来了。我妈知道吗?”

余地说:“不知道。你千万别告诉她。”

苏岩说："大叔，今后像这种小事儿吧，你就不用和你姑娘说了。你直接找我就行了。"

余地的脸上布满了憨厚。他解释说："本来没想麻烦你们。他们要是罚我二百，我就给他们了。可他们非要罚我五百。我昨天晚上一共才赢了不到二百块钱。"

苏岩笑道："大叔，你们玩多大的？"

余地说："一块两块的。"

苏岩说："是嘛！那你也太了不起了。大叔，和你商量个事儿呗，今后我再打麻将，我就带着你去，输了算我的，赢了咱们爷俩一家一半！"

余地说："赢了我也一分不要。"

余楠笑着打了父亲一下："爸，你看你呀，他在忽悠你。他是警察，他怎么可能去打麻将呢！"

余地笑了。

苏岩开车来到了北南市最好的海鲜饭店。他点了一大桌子海鲜。苏岩说："大叔，昨天晚上吧我们这个派出所有点不太像话，让您老受惊了。今天，我代表这个派出所的全体民警向您表示道歉。"

苏岩恭恭敬敬地给余地倒了一杯酒，余地感动地看着苏岩："同……志啊，谢谢你！"

苏岩说："大叔，谢什么呀！"

苏岩一边倒酒夹菜，一边和余地聊着家常。什么你姑娘孝不孝啊，平时给不给你钱花呀！提起自己的姑娘，余地格外自豪，我姑娘啊那简直没比的。从小就有孝心啊！什么家里的房子、彩电都是余楠买的。苏岩不停地给余地倒酒，他说："来，大叔，为你有这么好的闺女干一杯。"

余楠说："爸，行了，你别喝了。"

余地看着酒杯，小声地说:“这杯喝完，我就不喝了。”

吃完饭，苏岩要买单，余地说什么不干。他说:“小同志，你这么老远来把我从派出所救出去，怎么还能让你请客呢？今天的这顿饭一定要我请。你别争了，我昨天不是赢钱了嘛！”

苏岩说:“大叔，你昨天才赢了不到二百块钱。下次吧，你赢多点儿，你再请。”

余地说什么都不干。

余楠也说:“苏岩，你就让我爸请吧，我爸可倔了！”

苏岩把钱放进余地的兜里，诚恳地说:“大叔，你可能也看出来了，现在呢，我正在追求你姑娘。我今天请你吃饭都是在做给你姑娘看的，平时，这种机会找都找不着啊！……”

余地笑呵呵地说:“是嘛是嘛！既然这样，那我就不客气了。”

走出饭店，余楠对父亲说:“爸，我们着急回去，你自己溜达回去吧！”说着，余楠偷偷地给父亲的兜里塞了一叠钱，“你回去给我妈！”

余地笑着对苏岩说:“小同志，谢谢你，再见了。”

苏岩说:“再见赶趟，我先把你送回去。”

余楠说:“不用了，咱们先走吧！我回去还有事儿。”

苏岩说:“有事儿，你自己打车先走吧！”他打开车门，要扶着余地进到车里。

余地说:“算了。算了。没多远。”

苏岩说:“大叔，我这么老远来把你救出来，你是不是得让我到你家里去喝口水吧！”

余地看着余楠，余楠说:“好吧好吧，上车！”

余楠家位于北南市的郊区。说是郊区其实就是农村。各家各户都是那种长方形砖瓦房。门前屋后有着很大的院子，院子里种着新鲜蔬菜。

余楠家的房子是工工正正的四间大瓦房。面南朝北，有点风格。

余楠说："这是我设计的，怎么样？"

苏岩说："吹吧！"

余地说："真的真的，这确实是我闺女设计的。"

苏岩说："是吗？余楠，你让我开阔了视野。"

余楠的母亲白白净净满脸善良。她一见到余地就说："你不是让派出所抓起来了吗？"

余地说："你知道我抓起来了，也不说去救我。"他指着苏岩，"余楠的男朋友，多亏他了。"

母亲急忙把苏岩让到屋子里向苏岩问长问短。苏岩文质彬彬，有问必答。余地在外面要准备中午饭，他小声地问余楠的母亲，要不要把家里的猪杀了？母亲说，杀吧！杀吧！苏岩差点没笑出来。刚才他进院子的时候已经看到猪圈里的那头猪。很小也就是五十斤吧！苏岩急忙对余楠说："你还有事儿是不是？咱们赶紧回去吧！"

余地不让走，"都到家了，吃完饭再走呗！"

苏岩说："大叔，我今天值班。等下次我再来的时候，我一定要在你家好好吃一顿。"

2

回去的路上，苏岩慢悠悠地开着车。窗外是一片片绿油油的稻田。清风夹杂着泥土的气息吹进车里。余楠的长发不时地飘起来。

苏岩说："余楠，你在侧面瞅非常漂亮。"

余楠说:“我在正面瞅也漂亮。”

苏岩说:“你今天怎么不想让我到你家去呢?”

余楠摆弄着车里的音响像是没听到。

苏岩没有再问。

过了一会儿,余楠说:“我不想让你知道我家是农村的。”

苏岩笑了,他腾出一只手摸着余楠:“我家也是农村的!”

余楠说:“骗人。”

苏岩说:“我没骗你。现在我爸我妈就住在农村。”

苏岩的父母在郊区投资了一个大型生态园。

苏岩说:“余楠,我非常喜欢农村。将来我退休的时候,我肯定也会像我爸我妈似的,到农村去生活。”

余楠说:“等你真到了农村你就够了!”她见苏岩还要说什么,就说:“苏岩,你今天领我去玩玩吧!”苏岩说:“好啊!”

苏岩开车来到市里最大的电子游乐场。余楠有点疑惑,“来这里玩?这不是儿童来的地方吗?”苏岩说:“你以为你还是大人呐?”见余楠犹豫,苏岩解释说:“现在的儿童都在家学习哪有时间来玩呀!”

苏岩领着余楠走进喧闹的游乐场,才发现这里确实是成人的乐园。余楠的眼睛四处巡视着。各种大型游乐设施不时地发出阵阵音响。

苏岩到收银台买了一大堆银币。他问余楠:“喜欢玩什么?”

余楠看得眼花缭乱,她说:“什么都行。”

苏岩让余楠上了一辆宝马赛车里。他简单地教了教,余楠就飞快地开了起来。她的身体在赛车里不时抖动着。不一会儿,她就把车开翻了。

面前的屏幕出现:“GAME OVER!”

余楠说:“我真笨。”

苏岩把币再次投进去，他说："第一次都这样。"

赛车重新启动后，余楠很快又开翻了。

苏岩投币时，余楠说："我不玩了。"

苏岩说："玩吧！"

余楠说："这也太费了！一个币多少钱呐？"

苏岩说："你就玩吧！不贵。"余楠说："不会吧！"现在全市的游乐场相互竞争，使得价格很低。苏岩说："以前没人领你来过是不是？"苏岩告诉了余楠实际价格，余楠说："这么便宜啊。"

余楠放开手脚热情地玩了起来，她的进步飞快，不一会儿，她开着赛车在虚拟的世界里就能横冲直撞了。

苏岩坐在她的旁边不断地指导着她，她边玩边说："你不用管我，你也去玩吧！"

苏岩殷勤地伺候着余楠，一会儿去买水，一会儿去买零食。游乐场里有不少人都认识苏岩，他们不时地过来向苏岩打招呼。

余楠说："他们怎么都认识你啊？"

苏岩说："我没事儿总来玩！"

余楠说："你就靠这个泡小女孩是不是？"

苏岩说："你看你看，说说就下道！"

余楠摸了一下苏岩的脸，"跟你开玩笑呢！"

开够了宝马，苏岩领着余楠玩其他的项目。在玩一个两个人开枪对射的游戏里，苏岩特意让余楠把电脑里的"自己"打得遍体鳞伤。余楠像孩子似的乐得直拍手：

"你还是警察呢，枪法都不如我。"

最后，他们来到了一个装满各种动物玩具的转盘旁。在转盘的上面，有一些小吊车，投入币之后，可以控制着吊车，把自己看好的玩具吊出来。

余楠对苏岩说："你把那个小熊给我吊出来吧！"

在余楠手指的方向，一头黑颜色的玩具小熊乖巧地潜伏在其他玩具之中。

苏岩投币之后，开始聚精会神地控制着吊车。吊车有两个手臂，苏岩把吊车的手臂，放在了小熊的腿上，但小熊没有吊起来。苏岩重新投币，这次他让吊车的手臂夹住小熊的胳膊，还是失败了。

余楠说："我来试试！"

余楠控制着吊车的手臂伸向小熊时，苏岩见到她的手臂却不停地颤抖。

苏岩说："你紧张什么？"

余楠没理苏岩，她的注意力全都放在了小熊的身上。但她也失败了。余楠连续两次也都失败了。

苏岩伸手把着余楠的手说："这次，你轻轻点儿！"

可余楠的手还是在颤抖，结果又失败了。小黑熊静静地趴在那里眼巴巴地看着余楠。

苏岩挥手叫来一个服务生，给了服务生五块钱。他让服务生帮助吊出来。服务生小声地说："你们把吊车的手臂要直接夹住小熊的脖子上，就能吊起来。"

余楠却坚决反对说："不不不！"

服务生："不这样吊，你们永远都吊不出来。"

余楠对苏岩说："吊不出来就算了。"

苏岩说："你再等我一会儿，我非把它给你吊出来不可。"

余楠说："别别别！"

余楠看着躺在角落里的小熊，像是十分伤感，她说："苏岩咱们走吧。"

3

苏岩拉着余楠离开游乐场时天已经很黑了。

余楠说:“你看陪了我一天,饿了吧!去吃点儿饭吧!”

苏岩说:“到哪儿吃呀?”

余楠说:“到哪吃都行。”

苏岩说:“你看咱们不下饭店,去买点吃的怎么样?”

余楠说:“好啊!”

苏岩开车来到了市里最大的超市。这个时间超市里人很多。苏岩推着小车和余楠穿行在琳琅满目的商品中。苏岩把身体靠近余楠,余楠便挽住了苏岩的胳膊。

苏岩说:“不知道的还以为咱俩是夫妻呢!”

余楠笑着说:“谁跟你是夫妻!”

超市的二楼是纺织日用品,苏岩指着一件女式睡衣,“怎么样?”

余楠说:“给谁买呀?”

苏岩说:“我妈!”

睡衣是那种时尚性感的。

余楠说:“不合适吧!你妈能穿吗?我穿还差不多。”

苏岩说:“我妈爱美。”

余楠说:“那就拿一件吧。”

来到了洗涤用品专柜,苏岩还挑了两个牙刷放进了车里。

到了食品专区之后,余楠开始大显身手了。她不停从货架上拿着商品。开始,她还征求苏岩的意见,“喜欢吃吗?”苏岩说:“喜欢。”余楠说:“你都没看。”苏岩说:“我不用看,凡是你买的我肯定都喜欢。”余楠不再征求苏岩的意见,碰到她喜欢的,她就拿起来放进车里。

两个人推着车来到了收费口,余楠要抢着交钱。苏岩推开余楠,“去去去。”余楠还要坚持。苏岩说:“你交钱多丢人呐,别人该以为咱俩在闹离婚呢!”

离开超市苏岩直接把车开到了自己家楼下。

余楠不太自然。

苏岩说:“怎么了下车啊!”

余楠说:“咱们还没吃饭呢,现在上饭店吧!”

苏岩笑了,“你怕上楼,我强奸你是不是?你还防着我!我喝多的时候,都没干你!”

余楠说:“你真恶心人!”

苏岩说:“赶紧的,拿着东西上楼。”

进了苏岩的家,余楠首先把乱糟糟的屋子收拾了一遍。接着,余楠把在超市里买的好吃好喝一一拿了出来。余楠说:“我给你做个汤吧!”苏岩走到跟前色迷迷地看着余楠,“做什么汤啊?”余楠推着苏岩的脸,“你给我老实点儿啊!”

两个人吃完东西。

苏岩说:“夜深了!”

余楠笑了,“怎么的?想要留我过夜?”

苏岩说:“余楠,你在这儿洗个澡呗!”

余楠说:“洗完澡呢?”

苏岩说:“洗完澡,我想看看你穿着这件睡衣会是什么样?”

余楠笑道:“这不是给你妈买的吗!”

苏岩说:“行吗?”

余楠说:“你刚才烧水了吗?”

苏岩说:“我家二十四小时有热水。”

余楠说:“那我就不客气了。”

苏岩把牙刷找出来,和睡衣一起递给余楠。

余楠说:"你想的可真周到。"

余楠洗完澡,头发湿漉漉的。她穿着性感的睡衣,梳理着柔顺的长发。她走到苏岩的跟前,问:"好看吗?"

苏岩说:"好看。"

苏岩伸手摸着余楠的脖子,余楠小声地说:"亲爱的,你一会儿得送我回去。"

苏岩说:"别走了,在这儿过夜吧!"

余楠说:"过夜,你也什么都做不了。我来事儿了。"

苏岩说:"你没来事儿,也做不了。"

余楠说:"为什么?"

苏岩说:"我有病儿。不好使!"

余楠说:"骗人!"

苏岩说:"不信你摸摸!"

余楠笑了,她依偎在苏岩的怀里,"不做这个,那我们做什么呀?"

苏岩说:"我们可以谈理想啊。"

余楠双手搂着苏岩的脖子,苏岩抱着余楠来到了卧室里。

两个人拥抱着躺在宽大的被子里。

余楠说:"你挺了不起啊!"

苏岩说:"装的。"

余楠闭上眼睛,"吻我!"

苏岩抚摸着余楠的脸颊,轻轻地说:"亲爱的,不能吻,越吻会越难受。"

余楠说:"那你能受得了吗?"

苏岩说:"能。"

余楠睁开眼睛,看着苏岩。

苏岩说："你会下棋吗？"

余楠说："会。但我下的不好！"

苏岩说："不是咱俩下，我想让你帮我和别人下。"

苏岩起身打开了电脑，进入了网络世界。

苏岩下棋的水平还可以。但他不愿意正经下。正经下的话都是级别一样的在一起下。苏岩总是把自己的级别弄得很低，然后找大级别的人下。小级别和大级别下占便宜，赢了得大分，输了失小分。所以，级别高的人很少和级别低的人下。因为级别低，水平也低没意思，万一碰到高手被一顿痛宰既丢分还上火。

苏岩说："我就愿意看到别人上火！"他问余楠："怎么样可以把高手引来？"余楠经常上网。她笑道："这个简单，你装女人，起个性感的名字就行！"

余楠帮苏岩起名为"温柔地陪你"。

苏岩说："靠这个名就能好使吗？"

余楠说："试试呗！"

余楠也来了兴趣，她坐在苏岩的腿上，"我负责勾引，你负责收拾！"

苏岩说："好！"

苏岩下棋只用一个手按鼠标即可，他把另外的手放在了余楠的乳房上。

余楠说："亲爱的，轻点儿。我那儿不是鼠标！"

两个人开始齐心合力地寻找猎物。下棋的按说都应该理智，可碰到温柔陪你的，也都糊涂。网上下棋，没人给你机会悔棋，可苏岩要悔棋的时候，余楠就迅速地打上一句："让我一把呗，我好陪你多玩一会儿嘛！"

对方给了苏岩机会，可苏岩不给对方机会。每次都把对方杀得浑身是血，分数一落千丈。苏岩边杀还边骂："操你妈，活该！"

一个大侠被苏岩整成穷光蛋之后，希望苏岩和他接着玩。苏岩就不想理他了。他对苏岩说："你的心好狠呐！"

苏岩对余楠说："这家伙可能是南方人？跟他聊聊。"

"南方人？"

"对呀！你怎么知道？"

"猜的。"

"你可真聪明。哎，你哪的？"

"东北。"

"呀！东北女孩，漂亮呀！"

"不漂亮。只是身材还可以。"

"可以到什么程度？"

"我当过模特。"

"真的？"

"三年前，我们省万寿杯模特大奖赛，我是第九名。"

对方信以为真了。马上说了自己的电话号码。是广州的。他欢迎余楠到广州去玩。余楠说："我不能去。"对方说："为什么？你别害怕，我们只是做一般的朋友。"

凡是余楠卡住不知说什么好的时候，苏岩马上提示。在苏岩的指导下，余楠编了一段不幸的身世。怎么怎么被人骗了，怎么怎么生活艰难。现在没办法，为了生存，就在一家夜总会工作。

"在夜总会干什么？"

"就干那种工作呗！"

"到底什么工作呀？"

"我的名字不是都告诉你了吗？"

“意思就是小姐呗!”

“别那么直接好不好?”

“小姐怕什么?别以为当小姐就抬不起头,有些人虽然不是小姐,可干的和小姐都一样。”

“你能这么理解我们,真让人感动。”

“我不是光理解,我还想和你交朋友。”

“不信。”

对方大概是被苏岩和余楠联手制造的骗局蒙蔽了。他说:“你相信吧!”他说他在广州东莞开了一家汽车配件厂。专门为广州本田轿车生产沙发和内饰。而且他还留下了办公室的电话。

余楠说:“这个南方人真实在。怪不得,这么爱下棋。”

苏岩让余楠问问这个南方人为什么对小姐同情。

南方人深情地讲述了他悲惨的身世。他上学时穷啊。穷得连学费都交不起。他的女朋友就偷着去夜总会当小姐。挣来的钱不仅供他念书,还给他买名牌衣服名牌鞋。他起初以为女朋友去夜总会只是陪人喝酒,后来知道还陪人上床之后,就不高兴了。他把她给他买的鞋、衣服都撇到了她的身上。女朋友问他,你这啥意思?他说,这些破衣服破鞋我不要。女朋友可伤心可伤心了,从那之后,就离开他了……

余楠被感动了。

但苏岩却接着南方人的话继续说道:“后来你知道真相后,你非常后悔,这些年,你一直在寻找你的女朋友。你找到她要给她跪下,你要求得她的原谅,是不是?”

对方说:“天呐,你怎么知道?”

苏岩说:“我就是被你抛弃的那个小姐!”

对方说:“亲爱的,我找你找的好苦啊!你现在赶紧给我打电话吧。”

余楠哈哈地大笑起来，她对苏岩说：“南方人可真傻。你给他打个电话，安慰安慰他！”

苏岩说：“他听我是男的，就放下了。这样，你先拨，通了之后，我跟他说。”

余楠有点不敢，“那他要是赖上我怎么办？”

苏岩说：“你用我的电话打。”

余楠用苏岩的手机，拨通了对方留下的电话号码：

“您好，这里是公安局治安支队举报电话：赌博赌球线索请拨1，卖淫嫖娼线索请拨2，投案自首请拨3……”

4

苏岩坐在椅子里看着书，高军问他：“为什么不让你搞王晨的案子呀？”

苏岩说：“因为要提拔我了！”

高军说：“别胡扯，你告诉我到底因为啥？”

苏岩说：“主要是怀疑我和王晨有不正当的两性关系。”

高军说：“你能不能正经点儿？”

苏岩说：“你这个人有病，我一正经了，你又不正经了。”

两个人掀扯时，朱亮敲门进来了。

苏岩说：“朱亮，来来来请坐。”

朱亮说：“我……来采访。随便过来看看你。”

苏岩说：“是吗？你采访什么呀？”

朱亮说：“到你们户政采访文明窗口。”

苏岩说：“他们也不够意思啊，中午了，也不说留你吃饭。”

朱亮说：“他们留了。我寻思过来看看你。”苏岩说：“好好好！中午我安排你！想吃什么？”朱亮说：“吃什么都行。”苏岩收拾了一下桌子准备要和朱亮出去。高军看着苏岩。往常这种情况，苏岩都会带着他一块去。但这次苏岩就像高军不存在似的，和朱亮一起离开了。

苏岩没开车来到了公安局附近一家饭店。这家饭店不怎么火，门前没几台车。苏岩说：“这里挺干净的。”

进了雅间，点好了菜。苏岩给朱亮要了啤酒，自己仍喝饮料。

朱亮像是受到了委屈。他坐在椅子里，闷着头喝酒。

苏岩说：“余楠的父亲让派出所抓起来，你知道吗？”

朱亮说：“不知道。”

苏岩详细地解释了和余楠一起到北南镇派出所走后门的事儿。

朱亮说：“这个事儿多谢你了！”

苏岩说：“谢什么呀，举手之劳。”

朱亮给苏岩倒饮料，苏岩回避着朱亮的目光。

朱亮说：“余楠说不想和我处了！”

苏岩没吱声。

朱亮看着苏岩，“你怎么看这个事儿？”

苏岩脸上十分内疚，他说：“朱亮，我……”苏岩我了半天也没说出下文。

朱亮说：“我来找你只是想问问你，余楠为什么要离开我？”

苏岩说：“她没跟你说吗？”

朱亮摇了摇头，“她只是说她和我结束了。她准备要和你……”

苏岩说：“朱亮，对不起。”

朱亮说：“你们到什么程度了？”

苏岩说:“你能不能听我解释?”

朱亮说:“你说吧!”

苏岩小声地说:“余楠看我帮她救出了她的父亲,就挺感动的。晚上她请我喝酒,我……喝多了。吐得可哪儿都是。我自己也没法开车,余楠就送我回去。都是这该死的酒惹的祸。余楠把我送到屋子里,我就控制不住了!朱亮,这个事儿全都怨我。余楠可能是觉得对不起你了,就向你主动提出了分手。但朱亮你相信我,余楠和我就是一时冲动,她其实爱的是你。我希望你能原谅她。”

朱亮说:“那你和她是一时冲动吗?”

苏岩低下了头。

朱亮说:“你是不是早就喜欢上她了?”

苏岩点了点头。

朱亮说:“苏哥,既然你喜欢她,你今后对她好点儿就行了。”

苏岩小声地说:“朱亮,我真对不起。”

朱亮干了杯中的酒像是要准备离开。

苏岩说:“朱亮,你别难过。余楠离开你可能是因为……”

朱亮说:“因为什么?”

苏岩显得挺为难,“她说和你过性生活没意思!”

朱亮低下了头。

苏岩继续小声地说:“余楠这么说你没有恶意,她可能是这方面太强烈了……”

朱亮扬起头直接撞向苏岩的头。苏岩没防备,差点被朱亮撞倒。

朱亮挥舞着双拳暴风雨般向苏岩袭来。

苏岩用双臂护着自己的脸。他最担心的是,朱亮拿起桌子上的瓶子来砸自己。那样的话,自己非受伤不可。

现在的朱亮与平时的朱亮判若两人。他的眼睛里充满了血丝,他的面孔变得格外狰狞。他出拳的速度又快又狠。如果不是苏岩用力护住自己,苏岩非得被打趴下不可。

苏岩没有还击,也没有制止朱亮,他只是一味地防卫自己。他的鼻子被打出了血。

朱亮一顿铁拳之后终于停了下来,他的目光里一点也没有平时的那种懦弱,完全是坚毅与凶狠。

苏岩擦着脸上的血,歉意地说:"朱亮,对不起!我不是人。"

5

苏岩给高军打电话问他,吃了吗?

高军说,没吃。

苏岩说,你咋不吃呢?

高军说,我不想吃。

苏岩说,我给你买点饺子带回去吧,你要吃什么馅儿的?

高军说,鸡蛋虾仁的就行。

苏岩笑道,你他妈的挺会吃呀!

苏岩不仅给高军带回去了饺子还带回去了猪爪。他说,这个菜一口都没动。

高军说,动也没事儿。他拿起猪爪津津有味地吃了起来。他问苏岩,脸怎么了?

苏岩说,朱亮打的!

高军说,因为啥呀?

苏岩说,我把他女朋友撬来了。他来气就把我打了。

高军就笑了。

苏岩说,你笑什么?

高军说,你快告诉我,你的脸到底是怎么整的?

苏岩说,我不是说了嘛,是让朱亮打的。

高军说,就朱亮那个鸡巴体格还敢打你!你就是真抢了他的女朋友,他也得瞅着!

苏岩说,我谁呀?你以为我是他爹呀!

苏岩说完,立刻感觉这句话有毛病。他急忙对高军说,你光吃猪爪吧,饺子你就别吃了!

高军已经把饺子放进了嘴里,他说,为啥不让我吃?

苏岩说,刚才我往饺子里撒尿了!

6

苏岩的脸上多了一块创可贴。

余楠问:“怎么了?”

苏岩说:“电视台那个破电梯,我进去时没主意,碰到铁皮上了!”

余楠摸着苏岩的脸,“没事儿吧!”

苏岩说:“没事儿。”

余楠说:“你到电视台干什么去了?”

苏岩说:“我们上次不是去抓人嘛,电视台也跟着去了。他给我们拍了不少带子。我去要带子去了。”

余楠说:“你要带子干什么?里面都拍什么了?”

苏岩说:“可好玩了,我们当时和群众打起来了。”

余楠说:“是吗!我看看。”

余楠从苏岩的兜里拿出了带子塞进了录像机里。

苏岩来到卫生间洗了洗脸,还没洗完,就听见余楠喊他。

苏岩来到了屋子里,问余楠:“喊我干什么?”

余楠显得十分紧张，她小声地说："你看！"

电视屏幕上，朱亮正和一个拿着铁锹的群众互相打斗。这个镜头很短，但完全能看到朱亮狰狞的面孔。

余楠吓得躲进苏岩的怀里。

苏岩说："怎么了？"

余楠说："我……害怕。"

苏岩说："你怕什么？怕朱亮？"

余楠点了点头。

苏岩说："别怕，那天我们和群众都打疯了，谁都这样。"

余楠闭上了眼睛。

苏岩把余楠抱到了沙发上。

余楠哆嗦地说："苏岩，朱亮不像他平时那么老实。你小心点儿，他可能会去报复你！"

苏岩笑了，"不会的！再说，他凭什么报复我呀？我又没和他女朋友上床，我最多只是摸了摸他女朋友的咂，就因为这么点儿事儿，他会去报复我吗？"

苏岩说着把手伸进了余楠的怀里。

余楠没有拒绝，她还在认真地说："苏岩，我不骗你。有一次我看见他和别人打仗，他下手可狠了。"

苏岩说："你别害怕。他这种人我见多了。他是欺负软的，怕硬的。他那么厉害为什么一看见曹勇就傻了！亲爱的，你就放心吧，朱亮累死他，也不敢去报复我。"

余楠搂着苏岩像是要吻他。

苏岩像是想起了什么，"余楠，你这么一说呗，倒提醒了我。朱亮不敢去报复我，他会不会去找你麻烦？"

余楠有气无力地说："不会吧！"

苏岩说："要不，这几天你先住我这儿。怎么样？"

余楠说:“那……多不好呀!”

苏岩说:“有什么不好的,你又不是没住过!”

余楠像是很歉意,她说:“亲爱的,你看我……给你添了这么多的麻烦。”

苏岩笑了,“这哪是麻烦呐!这是咱俩幸福的开始!”

7

郭鸣武来找苏岩。苏岩在办公室里正在看书,他用眼角的余光看见了郭鸣武。但他装作没看见。郭鸣武走到苏岩的跟前,突然地说:“看什么呢?”

苏岩哆嗦了一下,急忙把书塞进抽屉里。郭鸣武伸手要去抢,苏岩挡开他的手。

郭鸣武说:“给我看看。”

苏岩说:“你来干什么?”

郭鸣武还要把手伸向抽屉。苏岩关上抽屉锁上了。

苏岩客客气气地给郭鸣武倒了一杯茶,“郭老师,请!”

郭鸣武喝着茶,用一种异样的眼光看着苏岩。

苏岩说:“什么事儿直说吧!”

郭鸣武说:“佩服佩服!”

苏岩说:“什么事儿这么让你佩服?”

郭鸣武叹了一口气,“看不出来,你还有这两下子。”

苏岩说:“到底什么事儿呀?”

郭鸣武说:“别装了。余楠不是都到手了嘛!”

苏岩说:“我没装啊!”

郭鸣武感慨地举起大拇指,“佩服!”

苏岩说:“你佩服不对呀!本来你想整到手,现在让我捷足先登了。你应该感到遗憾呐!”

郭鸣武说:“你说得对。我是挺遗憾的。但我确实更佩服你!”

苏岩说:“你没说心里话。”

郭鸣武说:“你睡了朱亮的女朋友,朱亮反过来还要请你吃饭。你说,我不佩服你吗?”

苏岩说:“什么意思?”

郭鸣武说:“我今天来是朱亮让我来的,他真的是要请你吃饭。他现在非常害怕。”

苏岩说:“怕什么?”

郭鸣武说:“怕你报复他呗!他说,昨天对你不礼貌了,希望你不要往心里去。我能看出来,他现在是吓坏了。苏岩,你听我的,这顿饭你请。”

苏岩说:“为什么我请?”

郭鸣武说:“你抢了他的女朋友,你请一顿还过分吗?”

苏岩说:“你要这么说的话,我就不去了。”

郭鸣武说:“好好好。不用你请。”

苏岩说:“不用我请,我去还得寻思寻思呢!郭鸣武,这个事儿呗是我和朱亮之间的事儿,你就不要跟着掺和了。”

郭鸣武说:“你俩都是我的朋友。我能不掺和吗!”

苏岩说:“你掺和也没有用。我肯定是不能去。”

郭鸣武说:“苏岩,我求你了,就当给朱亮一个面子。我向你保证,他的的确确就是想请你吃饭。”

苏岩说:“笑话!这都明摆着!我去,朱亮肯定得骂我。我可不想去找挨骂。”

郭鸣武说:“他要是骂你,你就骂我。苏岩,我今天找你不只是朱亮求我,我们报社的谭总也和我说了。”

谭总是报社的一把手谭昌年。

苏岩疑惑地看着郭鸣武。

郭鸣武说:“你别这么看着我。具体的我也不清楚。我估计是朱亮害怕,就先跟我们谭总汇报了。我们谭总和我也没说过多,就说让我帮着朱亮把这个事儿处理好!”

苏岩说:“这种事儿你们谭总还过问!朱亮挺深啊!”

郭鸣武说:“谭总和朱亮的父亲关系非常好。朱亮来报社就是谭总办的。”

苏岩说:“啊,原来是这么回事儿。”

郭鸣武说:“既然我们谭总出面了,你就去一趟呗!”

苏岩立刻笑道:“这么点儿事儿还要你们谭总出面。你郭鸣武就好使!”

去饭店的路上,郭鸣武语重心长地教育苏岩:

“不是我说你。这个事儿,你其实做得挺傻!你不就是想睡余楠嘛,用得着整得这么大扯!现在都快满城风雨了。”

苏岩说:“你说那玩艺儿。这种事儿我倒是想往小了整,可它小不了啊!再说,我和余楠的事儿现在不露将来也得露。这是不可避免的。”

郭鸣武说:“你的意思是想和余楠还要准备结婚是怎么的?”

苏岩说:“你以为我和她是胡搞呢!我们这是在恋爱。我们不仅结婚,我们还要生孩子呢!”

郭鸣武说:“你是不是整到手之后,甩不掉了!第一次就给种上了吧!”

苏岩说:“没有的事儿。郭鸣武,我跟你说心里话,到目前为止,我和余楠还没发生关系呢!”

郭鸣武笑了,“你快拉倒吧。你刚才自己都承认把余楠睡了。”

苏岩说:“我们在一起睡觉,我承认,但我们……”

郭鸣武说:“行了行了,别往下说了。”

苏岩说:“你怎么不让我说呢?”

郭鸣武说:“你还说什么呀,你不就想让我眼馋吗?我想睡,睡不着,现在你先睡了,你多了不起啊!”

苏岩说:“你小子我说什么你都不相信!”

两个人来到了饭店,朱亮已经在雅间里恭候了。他像什么都没发生似的,依然彬彬有礼。他还是一口一个苏哥叫着。苏岩也是笑眯眯地看着朱亮。他们谁都没提那个事儿。

朱亮主动给苏岩倒了一杯饮料,接着他给自己的杯子里倒满了酒,他诚恳地说:“苏哥,对不起,我昨天过分了!”说着,要一饮而尽。

苏岩说:“你别喝。”他把自己杯子里的饮料倒在了地上。

郭鸣武和朱亮不解地看着苏岩。

苏岩给自己的杯子里倒满了酒,真诚地对朱亮说:“对不起的应该是我!”

苏岩双手举杯恭敬地向朱亮行礼,接着把杯子里的酒一饮而尽。

朱亮也急忙地干了杯子里的酒。

两个人就像兄弟一样。

朱亮说:“苏哥,我给你打坏了吧!”

苏岩说:“没有没有。”

朱亮从兜里掏出一个厚厚的信封。

苏岩阻止着,“你这是干什么?”

朱亮说:“苏哥,你拿着,这是医药费。”

苏岩说:“哪来的医药费!”

苏岩把信封强行塞进了朱亮的兜里。

朱亮还要往外掏。

苏岩说："你要是再掏的话，我就走了。"

朱亮向郭鸣武看了一眼。

郭鸣武对苏岩说："那你就拿着呗！"

苏岩说："你滚鸡巴蛋！"

苏岩看着朱亮诚恳地说："朱亮，我现在在你面前非常渺小。这个事儿，我做得太不是人了。"

朱亮说："苏哥，你这话说哪去了！"

苏岩说："你昨天打我一点毛病都没有。这也就是你太老实了，换成别人，可能都得整死我！"

朱亮说："你要是这么说吧，就说明你还没有真的原谅我。也许你认为，我打你是应该的，但作为我来说，我确确实实不应该打你。苏哥，你听我把话说完。"

朱亮说话语气十分诚恳，郭鸣武有点傻眼。这哪是喝酒啊，他感觉是一个交接仪式。

朱亮心平气和地说："苏哥，我今天找你是实实在在向你道歉。我这么说，你可能觉得我在说假话，但信不信由你。我在心里其实还得感谢你呢！你们也都看到了，虽然余楠表面上是我的朋友，但实际上，她拿我根本就不当回事儿。她离开我是早晚的事儿，苏哥，她就是不跟你，她也得跟别人。我为什么说要感谢你？其实，我也想离开余楠。我和她在一起，我太自卑了。她总说我总管我。太没意思了。处了这么长时间，她连手都不让我碰。你说，我找的是女朋友，我也不是找妈呀！对不对？"

苏岩没有接话，这个时候，他也确实不知接什么好。

朱亮说："我和余楠在一起纯粹是为了虚荣。毕竟领着她到哪去，别人都挺羡慕我的。现在我想明白了，找对象不是给别人看的，我自己要觉得舒服啊！说实在的，我早就想和余楠分手了。可这种事儿,我也不敢和她说呀!”

朱亮给苏岩倒了一杯酒,自己举起酒杯同样向苏岩敬了一个礼,“苏哥,什么都不说了,一切都在酒里了。”

8

苏岩给曹勇打电话,问他,干什么呢?曹勇说,没干什么。苏岩说,请你吃饭呀?曹勇急忙说,我请我请。苏岩说,那好。你现在过来吧!苏岩告诉了曹勇饭店名称及房间号码。

曹勇磨磨蹭蹭地半天也没来。苏岩坐在椅子里静静地看着书。这就是郭鸣武要看苏岩就是不给他看的那本书。等人的时候有本书看就不觉得是在等人了。当然,这有个前提就是这本书要吸引人。苏岩兜里放的书都很吸引人。他把不吸引人的书都放在枕边了。

苏岩等曹勇看的这本书尽管很吸引人,但他心里还是很着急。有两次他拿出电话想骂曹勇一顿,但他都忍住了。现在的苏岩和过去不太一样了。有些事儿,他已经完全能控制住自己。毕竟年龄在一天天增长,不成熟也得成熟了。

曹勇推门的声音很轻,苏岩听到了,但他装作没听到继续认真地看书。曹勇怕吓着苏岩,故意把门用力关上。

曹勇笑着说:“苏哥,我来晚了。”

苏岩把书放进包里,“我也是才到。”他喊来服务员告诉走菜。

菜上来了,酒也上来了。

两个人开始喝酒吃菜。吃了半天,苏岩也没说为什么要请曹勇。他喋喋不休地讲着书里的内容:“这本书太有意思了。你知道写的是什么吗?写的是我们警察。一个傻逼警察长得跟我似的怎么看都不像警察。两名更傻逼的抢劫犯就跟着这个傻逼警察,他们趁警察没注意,一板砖就把警察打趴下了。他们从警察的腰里解下手枪,冲着这个警察就开枪。结果枪没响！你说这两个抢劫犯,枪没响就没响呗,你俩拿着枪赶紧跑呀！这两个傻逼不跑。不仅没跑,他们还把警察给捅咕醒了……"

曹勇实在是忍不住了,他说:"苏哥,别讲了,这本书我看过。"

苏岩不乐意了,"看过就看过呗！我给你讲讲怕什么！"

曹勇说:"这本书太长了,明天早晨也讲不完。"

苏岩说:"一看你就没文化。我要是给你讲的话,肯定是挑主要的讲。你以为我要从头到尾给你讲啊！"

曹勇给苏岩倒了一杯饮料,随后,从兜里拿出几张纸,放在桌子上。苏岩拿起来认真地一张一张地看着。看完之后,他没有表情地把纸放进了自己的包里。他从包里拿出一个信封,放在了桌子上。

苏岩没说信封里是什么,接着继续说那本书。他晃动着脑袋,"这本书太好玩了。你知道,我为什么对这本书这么感兴趣吗？书里写了这么个情节。这个傻逼警察后来去抓一个吸毒的。这个吸毒的瘦得皮包骨。一看就弱不禁风。可就是这样一个家伙,在警察抓他的时候,竟然面对着枪口,给了警察一刀。这个警察糊涂了,这么一个弱不禁风的吸毒者,为什么面对着自己的枪口还敢往上冲呢？警察就认为,这一定是有人指使他来谋害自己。这个警察就开始调查。他调查来调查去,最后,他才整明白,那个吸毒的面对自己的枪口还敢往上冲,不是想谋杀自己,他是想自杀。你知道他为什么要自杀吗?"

曹勇不耐烦地说:"苏哥,这本书我全都看过了。"

苏岩说:"你觉得这本书怎么样?"

曹勇说:“好。非常好!”他拿起桌子上的那个信封,又放在苏岩的面前。

苏岩说:“你拿着。”

曹勇说:“我能为你干点事儿是我的荣幸。苏哥,今后,我要是犯到你手里,你能对我照顾照顾就行了。”

苏岩笑了,他没接这个话茬。他拿起信封塞进曹勇的包里。

苏岩小声地说:“听说你挨揍了?”

曹勇点了点头。

苏岩没有再问,他默默地喝着饮料。

曹勇胆怯地说:“苏哥,我以前走眼了,这小子是个疯子!”

苏岩说:“怎么还哆嗦了!你什么人没见过。”

曹勇说:“苏哥,你不知道。如果不是别人拉开,他都能掐死我。”

苏岩笑了,“吹牛逼吧!”

曹勇说:“苏哥,你要是不信就拉倒。反正我提醒你了。这个逼养的是真恶啊!”

苏岩说:“是吗!他比你还恶吗?”

曹勇说:“我再恶我也不敢杀人呢!这个小子就敢!”

曹勇是真吓坏了。他脸上的伤疤在不停地颤抖。

苏岩安慰他说:“曹勇,可能是这么回事儿。这几天,他是憋了一肚子的气。跟我挑吧,他没这个胆量,所以,碰到你之后,他就想把气撒到你身上。”

9

余楠不仅把苏岩的家收拾得井井有条,还布置得焕然一新。她买了床单被罩还有窗帘。

苏岩说:“啥意思,准备要过日子呀?”

余楠说:“本来就过日子嘛!”

苏岩回来的时候,余楠已经做好了四菜一汤。苏岩坐在饭桌旁,余楠殷勤地为苏岩盛汤盛饭。苏岩说:“你别让我太幸福了。将来我该想你了。”

余楠说:“你尝尝,汤可能咸了。”

苏岩说:“不咸。”

余楠说:“你还没喝呢!”她自己先盛了一勺喝了,“还行。”她把剩下的放在苏岩的嘴边,苏岩像是没看到要去夹菜。

余楠撒娇地说:“好啊!你嫌我!”

苏岩张开大嘴等着喝汤,余楠喝了剩下的汤,重新盛了一勺。

苏岩说:“我要喝你嘴里的。”

余楠说:“张嘴。”她把勺里的汤喂进苏岩的嘴里,“咸吗?”

苏岩说:“不咸。”

余楠帮着苏岩夹菜。

苏岩说:“我自己来,你不用伺候我。”

余楠自卑地说:“吃人家的住人家的,再不伺候人家,人家把我撵走怎么办?”

苏岩说:“看你说那玩艺儿说的,你又不是白吃白住。”

苏岩从余楠的领口把手伸了进去。

余楠说:“你手脏不脏啊!”

苏岩说:“不脏。才洗的。”

余楠说:“亲爱的,先好好吃饭。”

苏岩捏了一下把手拿出来。

余楠咧了一下嘴,她打了苏岩一下,“讨厌,你又捏我!”

余楠穿着短衫短裙十分性感。

苏岩说:“你穿这么少,我要是不捏捏的话,我心里的火就快烧出来了。”

余楠笑了,“缺德。你心里有火,你捏我的,能好使吗?”

苏岩说:“好使!”

两个人吃完饭,苏岩要收拾碗筷。

余楠说:“别装洋相了,你去看电视吧!”

余楠把苏岩推到客厅里。

苏岩坐在沙发里看着电视,余楠在厨房里边刷碗边唱歌。

余楠的歌声很轻柔,像是遥远的小夜曲。苏岩听着听着,进入了梦乡。

余楠收拾完见到苏岩躺在沙发上,轻手轻脚地走到苏岩的跟前,她伸手搂着苏岩的脖子,像是要把苏岩抱起来。

苏岩睁开眼睛,“你要干什么?”

余楠说:“你到屋子里睡吧!”

苏岩说:“你不用管我。”

余楠说:“进屋睡吧。”

苏岩笑了,“我现在不困,我睡什么!”

余楠说:“不困,你闭眼睛干什么?”

苏岩说:“我怕你为难。”

余楠说:“我有什么可为难的?”

苏岩说:“能不为难嘛!一男一女睡在一个房间里,不干那种事儿吧,怪难受的。干吧,你还来事儿了!”

余楠坐在苏岩的旁边抚摸着苏岩的脸颊,“你是不是特别难受?”

苏岩说:“不难受。”

余楠说:“你闭上眼睛。”

苏岩说:“干什么?”

余楠说："我让你舒服舒服。"她伸出舌头舔着苏岩的脖子。

苏岩闭上了眼睛。

余楠舔了一会儿，用手抚摸着苏岩。

余楠说："舒服吗？"

苏岩说："舒服。"

余楠说："你要是不舒服的话，你可以想像一下。"

苏岩说："我想像什么？"

余楠说："你可以把我想像成你过去的女朋友。"

余楠的声音又轻又柔，"你不是处了好几个女朋友吗！有一个是警花，她是你们单位的对不对？她的身材是不是挺棒的……还有一个是护士，你们是怎么认识的？是你先追求她还是她追求你？你们第一次上床在什么地方？是在你家里吗？我的意思是说，你们是在沙发上还是在卧室的床上？……你说你还有一个女朋友是老师对不对？你说你多花吧，处了这么多的女朋友。你的体格不错呀！……"

余楠轻轻地说着，开始她也闭着眼睛，后来，她感到她的手湿了。

余楠睁开眼睛，见到是苏岩的眼泪流了出来。

余楠酸酸地说："苏岩，你告诉我，你想起谁了？"

苏岩说："我想起你了。"

余楠说："撒谎！我不吃醋，你快告诉我，你到底想起谁了？"

苏岩说："我想起我妈了！"

10

朱亮推门进屋的时候，苏岩正在看书。他放下书热情地给朱亮让座。朱亮坐在苏岩的对面翻看着桌子上的书。苏岩给朱亮倒了一杯茶水,兴致勃勃地讲述着书里的内容。什么两个傻逼的抢劫犯跟着一个傻逼警察。趁这个警察没注意,一板砖把傻逼警察打趴下了。傻逼抢劫犯从傻逼警察的腰里解下手枪,冲着这个警察就开枪。结果枪没响……

朱亮说:“郭鸣武说你有一本书不给他看就是这本吧!”

苏岩说:“对对对!就是这本。我为啥没给他看呢,我是想先让你看!朱亮,你拿回去翻翻,这本书写得太有意思了。”

朱亮把书放进了兜里,表示感谢。他看了看表。

苏岩说:“你还有事儿是不是?”

朱亮说:“有个饭店开业的。苏哥,你要是没事儿,你跟我去吧!”

苏岩说:“我也不会写文章呐!”

朱亮说:“你不用写,你去只管吃就完了。可能多少还能给你表示表示。”

苏岩高兴地说:“是吗!”

朱亮说:“那咱们现在就走?”

苏岩犹豫起来像是有什么话不好说。

朱亮说:“苏哥,怎么了?”

苏岩说:“曹勇来找我了。他说,你把他打了?”

朱亮点了点头。

苏岩说:“为啥呀?”

朱亮说:“我去打台球,他找我麻烦!苏哥,这个事儿真的一点都不怨我。当时,我打得好好的,他非得让我下去。我……就把他揍了!”

苏岩不相信地看着朱亮:“你敢揍他!你不是怕他吗?”

朱亮低下头小声地说:“苏哥,不瞒你说,我平时真不敢。你看上次他把我欺负成那样,我都没打他。但是这回吧,我可能是喝醉了！我要是一喝醉吧，好像就不是我了。”

苏岩说：“怎么不是你了？”

朱亮说：“我感觉自己一下子就失去了控制。平时我怕的人，我就不怕了。不仅不怕，我还敢和他拼命。你看曹勇多吓人呐，但奇怪的是，我一点都不怕他，我掐住他的脖子，如果不是别人给我拉开了。我都想把他掐死！”

苏岩说：“真的？”

朱亮点了点头，“我就是喝多了才那样。酒醒了，我就开始后怕。”

苏岩说：“你不喝酒的时候从来没有过吗？”

朱亮说：“把我逼急眼了，也能这样。”

朱亮平静地注视着苏岩的目光。

苏岩避开了。

朱亮说：“苏哥，你别……对我有什么想法。上次，我对你那样，是喝多了。你放心吧，今后，我就是再喝多再急眼，我也不会对你那样了！”

苏岩笑了，他平和地说：“朱亮，你看这个事儿咋办呐？”

朱亮说：“什么事儿？”

苏岩说：“你把曹勇揍了。这种行为往大了说，就是伤害。往小了说也是殴打他人呐！朱亮，你得理解我。曹勇到我这儿来报案，我要是不管的话……”

朱亮说：“苏哥，我不让你为难！你说咋办吧？”

苏岩说：“你说吧！”

朱亮说：“我给他拿两万块钱吧！”

苏岩说：“拿钱吧，倒没必要。他也没住院。这么的，你向他赔个礼……”

朱亮说：“没问题。”

苏岩说:“另外呢,我打算再拘留你几天,你看行不行?”

朱亮愣住了。

苏岩解释说:“对你拘留只是治安性质的,不会对你的前途有任何影响。”

朱亮说:“就一个普普通通的打架,至于吗?”

苏岩叹着气说:“我也觉得这么做有点过分,所以,我找你来和你商量商量!”

朱亮说:“你要是商量的话,我百分之百不能同意。”

苏岩说:“可问题是,你要是不同意的话,我也不好办呐!”

朱亮说:“苏哥,你别为难。你可以去办拘留手续。但我要到你们法制科去申请复议!”

像朱亮这种情况,法制科很可能会暂缓执行。

苏岩说:“你这么一申请,我办手续不就等于白办了嘛!”

朱亮说:“那你的意思是非得把我押起来不可呗!”

苏岩说:“我不是押你,我只是拘留你!”

朱亮大声地说:“那不一样嘛!”他威严地看着苏岩,“苏哥,我不知道你现在是怎么想的。但我觉得你有点过分了。我已经向你道歉了。我该做的我做了,我不该做的我也做了。你还想让我怎么样啊?”

苏岩小声地说:“朱亮,你别生气。我不是在和你商量嘛!”

朱亮说:“你这是在商量?你要拘留我可以,但你得让我申诉吧!这是我的权利!”

苏岩说:“我知道是你的权利。可你要行使这个权利,我今天不是就没法拘留你了吗!”

朱亮说:“你意思是今天你必须要把我送进拘留所呗?”

苏岩点了点头。

朱亮看着苏岩,“为什么?”

苏岩说:"你不是把曹勇打了嘛!"

朱亮说:"你曾经不是也打过曹勇吗?"

苏岩眨了一下眼睛,"可曹勇没来告我呀!"

朱亮气愤地说:"好!你办手续吧!"

苏岩从抽屉里拿出早已准备好的拘留表,放在了桌子上,他拿出笔,递给朱亮:"麻烦你先签个字,然后呢,我再给你补个笔录!"

朱亮冷笑道:"苏岩,我向你声明。第一,我拒绝签字,第二,我要去你们法制科申请复议!"

苏岩叹了一口气,"你看你!这不是要把事儿整复杂吗?那好吧,你就去复议吧!"

朱亮说:"我去复议,你是不是得先给我做个笔录?"

苏岩说:"也是。你看看我把这个事儿都忘了。"

苏岩拿出纸笔认真地做起了询问笔录。但他并没有询问朱亮和曹勇打架的事儿,而是说了一个陌生的名字。

苏岩说:"你认识尹曼玲吗?"

朱亮愣住了。

苏岩不慌不忙地解释说:"尹曼玲是她的原名。她在夜总会里叫琬琦。"

朱亮不吱声了。

苏岩说:"你告诉我,你认不认识?"

朱亮小声地说:"不认识。"

苏岩说:"真不认识吗?"

朱亮说:"真不认识。"

苏岩说:"这就怪了。"他拿出另外一份笔录,"这个尹曼玲也就是琬琦,她供认说,你到夜总会找过她不止一次。"

苏岩把笔录放在朱亮的面前翻看着,"这个骚货说得非常详细，你和她每回干几次，你爱用哪些姿势。你一共给了她多少钱。她全都说了。”

朱亮傻眼了，他小声地说：“苏哥，我……错了。”

苏岩严肃地看着朱亮，“为什么要嫖娼？”

朱亮不吱声。

苏岩大声地喊道：“问你话呢？”

朱亮吓了一跳，他小声地说：“我……是为了搞创作。”

苏岩疑惑地说：“创作？”

朱亮点了点头，“我想写一部小说，可我一直写不出来！”

苏岩说：“写不出来就去嫖娼？”

朱亮说：“我是跟别人学的！”

苏岩说：“跟谁学的？”

朱亮说：“一……个作……家。”

苏岩说：“这是哪个作家？”

朱亮说：“是……一个日本作家。”

苏岩说：“他叫什么名？”

朱亮说：“他……叫小泉龙太郎。”

苏岩说：“他都写过什么书呀？”

朱亮说：“他……写过《警察与流氓》。”

苏岩笑了，“瞧瞧这个书名，就知道他是个流氓作家。”

苏岩直视着朱亮，朱亮深深地低下了头。

苏岩语重心长地说：“你写的书是给中国人看的，今后不要再和日本人学了！日本人坏，你不知道吗？”

朱亮点着头，“我……知道。”

苏岩递给了朱亮一支香烟，朱亮哆嗦地接了过来。

苏岩说：“你嫖娼这个事儿，别说拘留你，教养都够了。你一个堂堂正正的记者，因为嫖娼被抓起来，不仅丢人，单位还得处理你呀！要是因为这个事儿，把你开除了，你说是不是就不值了！”

朱亮叼着烟，双手捂住头。

苏岩说：“你别难过。关于你嫖娼的事儿，我就不追究了。咱们还是按照你殴打他人，治安拘留几天算了！”

朱亮抬起头无助地看着苏岩。

苏岩把拘留表和笔放在了朱亮的面前，“别害怕。这是治安拘留，不是刑事拘留。你进去呆个一天两天，你就可以走后门出来！”

11

王晓光打电话把苏岩请到了饭店里。他说：“平时光你请我了，今天我也请请你。”

苏岩说：“咱俩你还客气什么呀！”

王晓光和苏岩聊起拍摄纪录片的事儿。他说：“前天看见你们陈局长了，他问我还给不给你们拍了？”

苏岩说：“你咋回答的？”

王晓光说：“我拍呀！可问题是你们也不配合我，我拍个鸡巴毛呀！”

苏岩笑了，“你就跟我们局长说鸡巴毛？”

王晓光说：“没有，我是跟你说。”

苏岩说：“我估计你也不能嘛！”

王晓光主动给苏岩倒着饮料，苏岩抢过瓶子，“我自己来自己来。”

王晓光说：“这个纪录片子呢，我想明白了，就按你的意思拍。你们先破案，破完案之后呢，整个模拟的。把你们局长啊队长什么的都拍进去。”

苏岩感慨地说:“伟大的王晓光导演,你真是进步不小啊!”

王晓光说:“你们这个工作实在太特殊了,像上回似的,虽然拍成纪实的,可你们却把人抓错了。播出去反而给你们起到反面宣传的作用。”

苏岩说:“可不是咋的。那回我们领导好悬没踢我。”

王晓光呵呵地笑着,他表示歉意,说这都是他不谨慎造成的。下次他一定注意。

苏岩说:“这和你没关系。再说,你不报道,报社他们也报道了。”

王晓光举起杯干了一杯,他说:“苏岩,你放心吧,这个事儿呢,我将来保证替你找回来。”

苏岩说:“谢谢谢谢。”

王晓光喝了这杯酒,忽然说:“你刚才提到报社,我想起一件事儿。我听说,你把朱亮关起来了?”

苏岩说:“你消息挺灵啊!”

王晓光说:“我也是听别人偶然说起的,苏岩,到底因为啥呀!”

苏岩笑了,“你啥意思吧?”

王晓光说:“他母亲还有他父亲一直都挺关照我,我想……”

苏岩惊讶地说:“是吗! 你过去咋没说过呢?”

王晓光说:“也没机会说呀!”

苏岩说:“早说你们有这层关系,你一个电话就好使! 你还用得着请我吃饭嘛!”

王晓光笑了,“也不知道你能把他关起来呀! 你们不是一直挺好的吗?”

苏岩叹了一口气。

王晓光说："到底因为啥呀？"

苏岩说："是这么回事儿。朱亮因为写了一篇文章把一个社会地痞得罪了。这个地痞叫曹勇非常恶。他欺负朱亮不说还敲诈朱亮。朱亮通过郭鸣武让我帮助摆平曹勇。我开始不想管，但我看朱亮这小子挺可怜的，就帮了帮他。我当着朱亮的面把曹勇狠狠地教训了一顿。从那之后，曹勇以为我是朱亮的靠山，就不敢欺负曹勇了。可是，我万万没有想到，曹勇不欺负朱亮了，可朱亮却欺负起曹勇来了。见到曹勇不是打就是骂。前两天，朱亮当着别人的面，好悬没把曹勇掐死。"

王晓光说："真的？不能吧！朱亮那么老实？"

苏岩说："开始，我也不相信。后来，别人做证，我才知道是真的。"

王晓光说："是吗！"他不住地叹着气。

苏岩说："朱亮这么狠都出乎我的意料。平时，他给我的印象多老实啊！"

王晓光说："苏岩，其实，我倒觉得朱亮能干出这种事儿！"

苏岩疑惑地看着王晓光。

王晓光说："上次我们不是和你一起去农村抓人嘛，当时，我和郭鸣武都吓傻了。可是，你没看见，朱亮却和平时大不一样。他简直就像个疯子一样！"

苏岩说："真的？"

王晓光点着头，"我上次给了你一盘录像带，那盘带子上，就有这样的镜头。"

苏岩说："是吗！我没看，一会儿，我回去看看。"

王晓光虽然说朱亮像个疯子，但他还是希望苏岩能照顾照顾。

苏岩无可奈何地说："其实，我已经照顾朱亮了。按他这个行为，应该是刑事拘留，都够判的了。我也是考虑到方方面面的关系，才对他治安拘留。”

12

苏岩回到办公室，一个婀娜多姿的女人坐在自己的座位。见苏岩进屋，她站起来妩媚地笑道：“苏岩吧。”苏岩说：“你是？”女人说：“我是盛薇，咱们见过。”苏岩说：“我想起来了。你好你好请坐。”

苏岩打开柜子找出了一瓶果汁。他打开后递给盛薇。盛薇接过来笑道：“你这儿东西挺全呐！还有果汁呢？”

苏岩说：“别人送的。”

盛薇扬起头喝了一口。她的脖子很长也很白。

苏岩说：“找我什么事儿？”

盛薇说：“是朱亮的事儿。”

苏岩看着盛薇没吱声。

盛薇说：“按理说呢，我们俩都不太认识，我就贸然来找你办事，你一定觉得很奇怪。其实，苏岩，我早就知道你。我以前在报社的时候，就见过郭鸣武给你写的通讯，我还见过你的照片呢。直说吧，我一直想要和你认识，不信你可以问郭鸣武。我曾经管他要你的电话，可他就是不给。”

苏岩说：“他为什么不给呀？”

盛薇说：“他有条件。”

苏岩说：“什么条件呐？”

盛薇笑了，“他这个人有点坏。”

苏岩也笑了。

盛薇说：“我今天来呢，一个是想要了解了解朱亮的事儿，另外,我也是借着这个引子请你吃顿饭。"

苏岩说:"你可真直截了当。这样,盛薇,你请我吃饭可以,但必须我买单。"

盛薇说:"行!"

两个人来到了公安局的停车场,盛薇自己有车。是宝马325。苏岩说:"坐你的宝马吧!"

两个人来到了昆都饭店。这之前,盛薇已经订好了一个雅间。

盛薇点了菜,要了酒。

苏岩特意为自己要了一瓶饮料。

盛薇说:"你真会保养。"

苏岩说:"我不敢喝酒。一喝酒,我就爱犯错误。"

盛薇笑了,"初次见面,来,你少喝点儿!"她给苏岩倒了一杯酒。

苏岩说:"你让我喝酒,我犯错误,你可别怪我!"

盛薇看着苏岩,"告诉我,你是不是挺坏的?"

苏岩说:"你别害怕,我一点都不坏。我也就是嘴上敢说说而已。"

正式吃饭前,苏岩把朱亮的情况简单说了说。

盛薇说:"真没想到!这个朱亮平时看他挺老实的呀!"

苏岩说:"现在看起来老实的不见得真老实。像我这样看起来不老实的还真就挺老实!"

盛薇说:"老不老实可不能自己说。"她举起杯,"第一杯得干了吧!"

苏岩和盛薇碰了一下杯一饮而尽。

盛薇给苏岩倒了第二杯。

苏岩皱起了眉头,"这杯我可能是干不了。"

盛薇说:“没关系。你随意吧!”

盛薇干了,苏岩想了想,也干了。

盛薇说:“谢谢。”她拿起酒瓶还要给苏岩倒酒,苏岩急忙抓住盛薇的手,“别倒了,我真喝不了了!”

盛薇没有松手,任凭苏岩抓着自己的手。

苏岩只好把手拿开,盛薇慢慢地把苏岩的杯子倒满。

盛薇说:“这杯酒你能喝就喝,喝不了就摆在这儿!”

盛薇给自己倒了一杯酒,接着一扬脖又干了。

苏岩没干,他平静地看着盛薇。

盛薇说:“我今天挺丢人的是不是?咱们以前都不认识,我就大大咧咧地来找你。不仅找你还要和你喝酒,苏岩,你不说我也知道你在心里对我有看法。”

苏岩说:“什么看法?”

盛薇说:“你认为我不值钱。”

苏岩拿起自己的酒杯,想要喝了。

盛薇抓住他的手,“你别喝了。”

苏岩轻轻地把盛薇的手拿下来,把酒干了。他让盛薇看看空空的酒杯,温柔地说:“你这么漂亮的女人来找我是我的荣幸!”

苏岩放下杯子,给盛薇和自己的酒杯全都倒满了。

盛薇脸色红润地解释说:“苏岩,我不骗你。我从小就特别喜欢穿制服的,什么解放军、武警再有就是你们警察!”

苏岩说:“是吗?我要是早知道的话,我今天穿警服好了!”

盛薇说:“我见过你穿警服的照片。”

苏岩说:“精神吗?”

盛薇点了点头。她拿起酒杯把杯中的酒干了。

苏岩起身给盛薇倒满了酒,接着挨着盛薇坐了下来。

盛薇把手放在了苏岩的腿上。

苏岩说:“你向郭鸣武问我的电话,他提出了什么条件?”

盛薇说:“他让我陪他跳舞。”

苏岩说:“跳舞?”

盛薇小声地说:“就是那种贴面舞!”

苏岩笑了,“你没答应?”

盛薇说:“就一个电话就跳贴面舞,你说他是不是有点过分了!”

苏岩说:“是有点过分。”他把肩膀靠在盛薇的肩上,轻声地问她:“需要我做什么?”

盛薇笑了,她伸手摸着苏岩的脸,“一点小事儿!”

苏岩说:“你说!”

盛薇显得挺为难,过了一会儿,她慢慢地说:“前些日子,朱亮从我那儿借了五万块钱。他跟我说,是他父亲用。可我今天给他父亲打电话,他父亲说根本就没这么回事儿!”

苏岩说:“他给你打条了吗?”

盛薇说:“没有。”

苏岩没吱声,在想着什么。

盛薇说:“要是麻烦的话,就算了。”

苏岩说:“我给你试试吧!”

盛薇把身体依偎在苏岩的怀里,“你看刚认识就给你出难题。”

苏岩伸手摸着盛薇的长发,平静地说:“我愿意帮你解决难题。”

第　六　章

1

苏岩回家的时候，客厅里正播放着轻柔的钢琴曲《小桥流水》。桌子上摆放着四菜一汤，余楠躺在沙发上双眼亮晶晶地看着苏岩。

苏岩说："你还没吃呢？"

余楠说："我不饿。"

苏岩把余楠抱起来，"我不是说不让你等我吗？"

余楠把脸贴在苏岩的脖子上。苏岩走到桌子跟前，把余楠放在凳子上。苏岩要给余楠盛饭。余楠抢过来，问苏岩，"你还吃吗？"

苏岩说："我当然吃了。"

余楠笑了，"你在外面没吃饱啊？"

苏岩说："可不是咋的，光喝酒了！我们单位的这帮小子，可他妈的操蛋了！"

余楠为苏岩盛了一碗汤，"喝点儿汤吧！"

苏岩悠闲地喝着汤看着余楠。

余楠拿起一个猪爪细心地扒开，放进嘴里一口一口地吃着。她蠕动着小嘴咂咂有声。

苏岩说："亲爱的，你吃得真香。"

余楠用手从骨头上拽下一块肉要放进苏岩的嘴里。苏岩张开嘴,余楠又拿了回来。她用筷子重新为苏岩拽下一块放进了苏岩的嘴里。

余楠说:“她的身材好吗?”

苏岩说:“谁呀?”

余楠说:“刚才和你吃饭的美女呀!”

苏岩说:“没有美女,都是我们单位的同事。”

余楠说:“你身上有香水味。”

苏岩显得有些不自然,余楠笑眯眯地说:“我教你一招,今后再和美女吃完饭,你抽一支烟,往衣服里吹几口,香水味就没了。”

苏岩说:“这个方法好使吗?”

余楠说:“好使。”

苏岩低下头。

余楠说:“怎么了?”

苏岩小声地说:“让人看出来了,不好意思了呗!”

余楠放下手里吃的,坐在苏岩的腿上,“其实不好意思的是我,你看这几天,我把你约会的时间都给占用了。”她说话的声音又轻又柔,“是不是把你憋坏了!”

苏岩咬着余楠的耳朵,“流氓!”

余楠惨叫一声,她用力打了苏岩一下,“你想咬死我!”

苏岩说:“憋的!”

余楠笑了,“那刚才你们都干什么了?”

苏岩说:“光喝酒了!”

余楠说:“那咋办?”

苏岩说:“你说咋办?”

余楠趴在苏岩的耳朵,“你继续憋着呗!”

苏岩把余楠从腿上抱下，他站起身，脱下外衣，露出肩膀，他转过身把后背对着余楠，“快给我挠挠！”

余楠说：“你等等。”她急忙去洗了洗手。她让苏岩躺在沙发上，认真耐心地挠着苏岩的后背。

苏岩说：“使点劲儿！”

余楠说：“都红了。”

苏岩说：“没事儿。刺挠死了。”

余楠用力挠着，“你喝了多少酒啊！”

苏岩说：“得有四五杯吧！往上，再往上，对对对，就是这儿！”

余楠把苏岩的后背反复挠着，苏岩后来打起了鼾声，像是睡着了。

余楠轻手轻脚地站起身收拾了碗筷，她回到客厅时，见到苏岩正瞅着自己。

余楠说：“你到卧室睡吧！”

苏岩摇了摇头，又闭上了眼睛。

余楠帮着苏岩脱掉了裤子，并为他盖好了被。

苏岩微微睁开眼睛，“谢谢！”

余楠坐在苏岩的边上，“咱俩进屋一起睡吧！”

苏岩笑了，“那不是更睡不着了！”

余楠趴在苏岩的身上，“我……想。”

苏岩说：“你想什么？”

余楠说：“我想在你家多呆几天！”她小声地说着理由：“我住的那套房子，这些日子正在检修自来水管道。天天没水洗澡，可不方便了……”

苏岩打断她，“不用说了，这儿就是你的家，你想呆多久就呆多久！”

余楠说："你烦我了！"

苏岩捧起余楠的脸，"我没有烦你！"

2

郭鸣武让苏岩到报社来一趟。

苏岩说："什么指示？"

郭鸣武说："你就来吧！"

苏岩来到了报社，郭鸣武领着苏岩来到了小会议室。他关上了门表情十分严肃地给苏岩倒着茶水。

苏岩接过茶水，"你啥意思？"

郭鸣武说："没啥意思，找你聊聊。"

苏岩说："聊啥？"

郭鸣武没有马上吱声，像是在想着什么。

苏岩说："怎么了？"

郭鸣武沉重地说："苏岩，过了！"

苏岩说："什么过了？"

郭鸣武没吱声，凝视着苏岩。

苏岩说："你是不是说我把朱亮拘留了，给整过了。"他把朱亮打曹勇的事儿说了一遍。

郭鸣武说："咱俩就别说这些了！"

苏岩说："你不相信我？"

郭鸣武说："你说点儿实话呗，你告诉我这究竟是怎么回事儿？"

苏岩说："就是这么回事儿。"

郭鸣武说："今天找你来不是我的意思，我代表我们报社领导和你讲话。"

苏岩说:“报社领导,谁呀?谭昌年?”

郭鸣武说:“你不用问那么细。”

苏岩火了,“你们领导见不得人呐?郭鸣武,你要是不说是谁,你用不着跟我说。你们领导能管着我是咋的?还他妈的拿你们领导吓唬我!你可真鸡巴有意思!”

苏岩说话的声音很大,郭鸣武上前要捂住苏岩的嘴,“外面能听见!”

苏岩说:“听见能怎么的!你说是谁?”

郭鸣武小声地说:“就是谭昌年!”

苏岩马上温和起来,“你看你直接说不就完了。咋的,你们谭总对我有想法了?”

郭鸣武走到门口推门出去看了看,他关好门,走到苏岩的跟前,小声地说:“苏岩,你收拾朱亮是你自己的意思吗?”

苏岩说:“对呀!怎么了?”

郭鸣武说:“我们谭总怀疑你这么干可能是你们领导的意思。”

苏岩疑惑地看着郭鸣武。

郭鸣武说:“上次你们抓错了人,我们报社整出了很多负面报道,你们领导对此一直耿耿于怀。我们谭总认为,你们可能要借这个事儿,教训我们一下。”

苏岩说:“哪跟哪呀!你们他妈的领导纯粹是精神病!”

郭鸣武说:“我告诉你,不是光我们领导怀疑,其他新闻单位的领导也是这么认为的!”

苏岩没有吱声,真这样的话,这个事儿就有点大了。

郭鸣武诚恳地说:“苏岩,其实,连我自己都怀疑!”

苏岩不解地说:“你也怀疑?”

郭鸣武点了点头,“我太了解你了。即使朱亮做出你说的那些事儿,以你的脑力,你绝对不会这么处理的。你对我们记者从来都是高抬贵手。上次经济部的两个记者嫖娼,你连款都没罚。他们的问题不比朱亮严重多了……”

苏岩说:“郭鸣武,实话告诉你吧,我收拾朱亮,主要是因为余楠!”

郭鸣武说:“你快拉鸡巴倒吧!你又不是没见过女人。朱亮已经明确地告诉你,他把余楠让给你了,可你还是这么狠收拾他,苏岩,你百分之百有不可告人的目的!告诉我,是不是你们领导让你这么干的!”

苏岩说:“你们这帮逼文人净瞎寻思!你们也不想想,就算我们领导真的想收拾你们,还他妈的用得着这样吗!多愚蠢呐。告诉你,真要收拾你们,你们死都不知道是咋死的!”

郭鸣武说:“你说的我相信!但我谅你们也不敢去整死我们!”

苏岩说:“好了好了!这个问题不争了,我可以跟你们领导去解释一下,我收拾朱亮与我们领导无关!”

郭鸣武笑了,“你这么解释不是此地无银三百两嘛!”

苏岩说:“你别跟我讲成语,我听不懂!”

郭鸣武收起笑容,平静地说:“苏岩,我今天找你来一个是替我们领导了解一下情况,另外,我也是想提醒提醒你!”

苏岩说:“提醒什么?”

郭鸣武说:“你虽然把朱亮关进了拘留所,但你现在的处境也不太好!”

苏岩说:“什么意思?”

郭鸣武说:“这还用我说出来吗!无论你这个事儿是不是得到了你们领导的指使,有一点可以肯定,你这么干将会把我们记者全都得罪了。你听我把话说完,你自己刚才都说,你这么干是为了一个女人,你不想想,你的行为会在我们记者眼里变得多恶劣嘛！我们是什么？无冕之王！你现在等于用你的枪杆子向我们笔杆子宣战！"

苏岩说:"你别吓唬我！"

郭鸣武说:"我吓唬你干鸡巴毛！你可以去整朱亮,我们就不可以去整你吗！告诉你,我们根本不用报纸。你应该知道内参吧,只要我们连续整出两篇以上的内参,你就拉鸡巴倒了！"

苏岩说:"整内参你们整我什么呀？总不能无中生有吧！"

郭鸣武笑了,"整你还要无中生有啊！你抢了别人的女朋友还联合黑恶势力进行栽赃陷害,这事儿还小吗？"

苏岩不吱声了。

郭鸣武说:"朱亮在我们报社是公认的最老实的记者。人家是高干子弟,可他天天在我们报社打水擦地什么活都干。这样一个人被你整成这样,即使朱亮不是我们报社的,我们也会站出来抱打不平的！苏岩,我告诉你……"

苏岩说:"行了行了,你别说了！你就说我咋办吧！"

郭鸣武说:"还用我说吗,赶紧把朱亮放出来呀！"

苏岩小声地说:"问题是我没这个权力！郭鸣武,你不知道,我们抓人容易,放人难！放朱亮必须我们队长同意才行。"

郭鸣武得意地笑了,"你现在回去马上向你们队长去请示吧！"

3

赵民冷冷地看着苏岩。

苏岩说:"赵队,你看朱亮这个案子？"

赵民说:"怎么的？"

苏岩说:“我寻思向你请示一下!”

赵民说:“请示啥呀?”

苏岩不吱声了。

赵民拿出了一支香烟,苏岩急忙给赵民点燃了。

赵民吐了一个烟圈,严厉地说:“抓朱亮为什么不向我打招呼?”

苏岩说:“打了。拘留朱亮的时候,你不是都签字了嘛!”

苏岩拿出拘留审批表,递给赵民。赵民一看上面果然有自己的签字。刑警队每天要治安拘留的多了,赵民根本没时间逐个进行认真审查。

赵民缓和了一下语气,“朱亮这个事儿吧,有点特殊。他毕竟是个记者,你把他押起来,对社会影响太坏了。”

苏岩说:“是是是,这个当时我没有考虑那么周全。”

赵民用一种审视的目光,看着苏岩,“你和我说实话,你为什么要押他?”

苏岩说:“因为殴打他人呢!”

苏岩翻开卷宗要找出询问笔录。

赵民说:“行了行了,你别演戏了!”

苏岩说:“我跟你演什么戏?确实是因为朱亮殴打他人。”

赵民说:“他不就是把曹勇打了嘛!”

苏岩说:“打曹勇就应该吗?”

赵民说:“你能不能实在点儿?”

苏岩说:“我怎么不实在了?”

赵民说:“你押朱亮到底因为啥,你以为我不知道!苏岩,我告诉你,现在全公安局警察都在议论你!你呀你呀,太不像话了,朱亮的父亲是朱云山……”

苏岩说:“朱云山怎么了!”

赵民说："你要点儿脸行不行？"

苏岩不高兴了，"赵队，说话注意点分寸行吗？要想走后门，你就直说！"

赵民笑了，"你个兔崽子，跟我你还装是不是？"

苏岩也笑了，"我哪敢跟你装啊！"

赵民心平气和地说："朱亮的母亲找到了咱们的领导。"

苏岩说："领导？哪个领导？"

赵民说："你就别问了！"

苏岩说："是陈局长吗？"

赵民说："不是。"

苏岩说："那会是谁？"

赵民说："是我行不行？"

苏岩笑了，"你看那你就直接说是你不就完了。"

赵民说："我怕说我不是不好使吗？"

苏岩说："你不好使那还谁好使啊！赵队，你就发话吧！"

赵民说："一会儿就把朱亮放了吧！"

苏岩说："没问题。"

苏岩出门前又回身问赵民："朱亮这个事儿为什么他母亲来找你，他父亲怎么不来呢？"

赵民疑惑地看着苏岩，"这个问题很重要吗？"

苏岩说："不重要，我就是随便问问。"

4

进到拘留所一般情况下都得被剃成秃子。苏岩和管教李东打了招呼，说，朱亮是记者给照顾照顾。李东说，没问题。其实，苏岩不说，李东也会照顾朱亮。从朱亮进来的第一天起，各种关系便蜂拥而至。连拘留所的所长都到号里慰问朱亮。

苏岩把朱亮提到拘留所的审讯室。他从兜里拿出好吃的好喝的。

苏岩问朱亮,号里有人欺负你吗?

朱亮说,没有。

苏岩说,没有就好。他启开一瓶矿泉水递给朱亮。

朱亮说,我不渴。你喝吧!

朱亮的态度不冷不热。

苏岩说:“你怎么了?”

朱亮说:“苏哥,你为什么要给我买这么多好吃的?”

苏岩说:“我寻思让你改善一下。”

朱亮说:“你现在把我放了,我出去改善不是更好吗?”

苏岩笑了笑没接茬。

朱亮说:“这么说,你今天还不打算放我出去呗!”

苏岩诚恳地说:“朱亮你听我解释,我原打算昨天就放你出去。可是,你们报社吧有点不太像话,他命令我,让我马上放了你。你说,哪有这么干事儿的。走后门就走后门呗,用得着用这种威胁的口吻吗?”

朱亮说:“威胁?谁威胁你了?”

苏岩说:“郭鸣武威胁我了呗!你知道他说什么吗!他说,我现在这么干等于是枪杆子向笔杆子宣战。我如果不悬崖勒马,我就死定了。朱亮,你听听,这叫人话吗!怎么的,枪杆子就怕笔杆子呐?他还是写字的呢,怎么这么没文化呢!历来都是枪杆子里面出政权!他现在竟然用笔杆子来威胁我这个枪杆子,我实在是接受不了。朱亮,我今天来是想求求你,再多呆几天,你给我个面子,让我出出这口气!郭鸣武太不像话了。”

朱亮说:“郭鸣武不像话,你把他押起来不就得了!”

苏岩说:“我押他押不起来啊！我现在手里没他的把柄。”

朱亮不动声色地注视着苏岩。

苏岩耐心地劝导道:“朱亮,既然你已经进来了。你就多呆几天吧！呆一天是呆,呆五天也是呆。你就帮帮我,怎么样?”

朱亮说:“苏岩,这些话就别说了。咱们俩都实在点儿吧！你要是帮我呢,你现在就把我放了,我永远记着你的好,你要是不帮我呢,我一会儿就向你们法制科申请复议。”

苏岩说:“你这么着急出去?”

朱亮说:“苏哥,你不知道,在里面呆一天比在外面呆一年还要长。你不要怪我,我实在是不能给你这个面子了。”

苏岩叹了一口气,“既然你都想好了,我再说也没用了。”

苏岩起身开始收拾桌子上的物品。

朱亮看着苏岩:“你会不会整我?”

苏岩说:“整你,怎么整你啊?”

朱亮说:“我不是找过小姐嘛!”

苏岩说:“真的！你不提这茬儿,我差点忘了。朱亮,你找小姐这个事儿可挺大呀,这要是闹起来,对你影响可太不好了！你还怎么做人呐！是不是?”

朱亮说:“苏岩,你就放过我吧！你抢了我的女朋友,我都没说什么!”

苏岩说:“这个事儿,我做的确实不对。我向你表示道歉。”

朱亮说:“你不用道歉。其实,我挺理解你的。你这么干可能也是心里太难受了。”

苏岩不解地说:“我心里难受？你这什么意思?”

朱亮说:“那不是明摆着嘛。你的女朋友王晨被人害死了,你说你的心情能好吗！你来抢我的女朋友,可能也是想摆脱一下内心的痛苦!”

苏岩说:“朱亮,我得更正一下,王晨死了,我确实难受,但我不痛苦。因为我和她交往时间不长……”

朱亮说:“不长你也得痛苦啊!王晨太对不起你了。她表面上和你谈恋爱,可实际上她却一直和徐广泽睡觉。这种滋味我觉得你是无法忍受的。王晨和你谈恋爱其实就是想拿你做掩护,她怕她和徐广泽的事儿暴露出来!毕竟那太不光彩了。我听说,王晨是徐广泽的外甥女!这……不等于乱伦嘛!”

苏岩小声地说:“王晨只是管徐广泽叫舅舅,他们之间没有血缘关系。”

朱亮说:“是吗!他们没有血缘关系啊!可问题是,这个事儿要是让别人知道了,我估计,就没人去追问到底有没有血缘关系了!”

苏岩说:“你说的有道理。但朱亮,你心里清楚,我和王晨其实认识时间不长……”

朱亮笑了,“我知道不长,可你怎么和别人去解释呀!”

苏岩说:“我为什么要和别人解释呢!现在大家谁都不知道我和王晨谈过恋爱!”

朱亮说:“苏岩,是这么回事儿,我们报纸有一个栏目叫《情感三角》。这个栏目的编辑曾向我约过稿,我觉得你和王晨之间的故事很符合他们的要求,我打算写一篇。你看,你允许吗?”

苏岩说:“朱……亮,这可不行啊!你要是这么一写,我就没法在社会上混了!”

朱亮说:“我只是给你提个建议,你要是不允许的话,这个事儿就算了!”

苏岩说:“谢谢谢谢。朱亮,我一定要报答你!”

朱亮说:“你想怎么报答我呀?”

苏岩说:“我让余楠回到你的身边。”

朱亮笑了,“她已经让你用了这么长时间,我对她不感兴趣了。”

苏岩说:“那你对谁感兴趣你告诉我!”

朱亮说:“苏哥,今天你就放我出去吧!”

苏岩说:“这没问题,但你得告诉我,你对谁感兴趣?”

朱亮说:“我只对我感兴趣。”

苏岩笑了,“不对!你没说实话,我知道你对谁感兴趣,你对那个开饭店的盛薇感兴趣对不对?”

朱亮摇了摇头,“我对她可不感兴趣!”

苏岩说:“她不挺好的嘛!我跟你说,盛薇对你可特别感兴趣!”

朱亮疑惑地看着苏岩。

苏岩神秘地说:“你向她借过钱吗?”

朱亮犹豫了一下点了点头。

苏岩说:“借了多少?”

朱亮说:“五万。”

苏岩说:“你给她打条了吗?”

朱亮摇了摇头。

苏岩说:“借了五万块钱连条都没让你打,你想想,她要是对你不感兴趣的话,她能这样吗?”

朱亮看着苏岩没吱声。

苏岩神秘地说:“盛薇找过我,她对你可太好太好了!她假装让我帮着她来向你要钱,其实,她无非是想借机接近我,她的目的是帮助你!”

朱亮说:“不可能。”

苏岩说:“怎么不可能!你和盛薇都在一起睡觉了,她帮帮你不是太正常了!”

朱亮说:“别胡说。我没和她睡觉。”

苏岩说:“上周三你和盛薇到金星宾馆开过房。房间号是1208,对不对?”

朱亮愣愣地看着苏岩。

苏岩说:“朱亮,盛薇对你的感情了不得啊!你知道吗,为了把你救出来,她都想和我上床。但你放心,我没碰她。你不相信?不相信你可以去问问盛薇。盛薇可能认为,我特别喜欢女人。所以,她就想来勾引我。但她搞错了,我喜欢女人是分类型的。余楠那样的我喜欢,盛薇那样的我就不喜欢了。你知道为什么吗?盛薇太奔放了,上来就要脱衣服。我可受不了。朱亮,你愿意嫖娼,我估计你一定喜欢盛薇这种女人,因为她就像个妓女一样。”

朱亮不知所措地看着苏岩。

苏岩说:“对不起,我可不是要当你面挖苦盛薇。这个盛薇虽然喜欢你,但我还是劝你尽可能地远离她。她很危险。她那个饭店你知道是谁开的吗?谭昌年,你们报社的老板!你们报社不少人都知道,盛薇在广告部的时候,她就跟谭昌年了。”

朱亮说:“苏哥,别说了。”

苏岩说:“我说的意思是让你小心点儿!你刚才说,我的女朋友让徐广泽睡了,这件事儿说出来,虽然我难堪,但大家会同情。因为我也属于受害者。可你就不是了!你们老板花了那么多的钱,辛辛苦苦培养了一个小蜜,你却偷偷地给睡了。你有点不太够意思啊!你到报社来,是谭昌年把你要来的。你这次出事儿,你们老板跑前跑后,比你爸都积极,可是,你可倒好,海底捞月睡了他的小蜜。你想想,谭昌年要是知道了,他不得气死!他还能帮你吗?所以,朱亮,你刚才说你要准备给我写篇文章什么的,我建议你再好好考虑考虑。咱俩是五十步笑百步,彼此彼此。既然这样，我看你就没必要再笑话我了！”

5

余楠想要吃蛋糕。

苏岩说：“你在家等着，我去给你买。”

余楠说：“我要和你一起去。”

苏岩说：“好吧！”

苏岩开着车拉着余楠驶进了夜色里。他把车开得很慢，余楠像只小猫依偎他的身边。两个人听着汽车音响里的歌曲，显得挺缠绵！

余楠说：“你就这么一直向前开，我们会到什么地方？”

苏岩说：“不知道。”

余楠说：“想想嘛！”

苏岩说：“这条道我不熟，我真不知道。”

余楠说：“我要是让你一直开下去，你会吗？”

苏岩说：“我不会。”

余楠伤感地说：“我就知道你不会。苏岩，你一点也不喜欢我。”

苏岩说：“你这叫什么话？啊，我喜欢你就一直往前开？那要是撞到树上，你给我修车呀！”

余楠笑了。

来到了市中心好利奇西点店。

苏岩把车停在门前。他对余楠说：“你在车里等着吧！”

余楠说：“你别买整块的。你给我买那种小方盒的就行。”

苏岩说：“为什么？”

余楠说：“大的我吃不了。”

苏岩走进了西点店。在柜台里有各种蛋糕,上面用奶油做着各种图案。

有一块蛋糕上面有一只可爱的小白鼠。苏岩指了一下,服务员就把这块蛋糕装进漂亮的盒子里。

苏岩拿着蛋糕回到了车里。

余楠说:“我现在吃行吗?”

苏岩说:“你吃吧!”

余楠迫不及待地打开了盒子,她看到里面的图案时,吓了一跳,她赶忙把盒子关上。

苏岩说:“怎么了?”

余楠不高兴地说:“你怎么买它呢?我最烦这个了!”

苏岩说:“对不起。我再去买一个。”他起身要走。

余楠像是感到了自己失态,她拉住苏岩,温和地说:“不用了。”她拿起一个塑料叉子,递给苏岩,“你帮我把它捅乱就行!”

苏岩用叉子把可爱的小白鼠整成了一片乱糟糟的草原。

苏岩说:“这样行吗?你看。”

余楠说:“行。”她拿起叉子,开始香甜地吃着蛋糕。

苏岩透过车窗看着西点店门前变换不断的彩灯。

苏岩说:“好吃吗?”

余楠说:“好吃。”

苏岩说:“我今天去看朱亮了。他也想吃蛋糕。”

余楠愣住了,她拿着叉子一动不动。

苏岩叹了一口气,“我不知道他想吃蛋糕,我也没给他买。明天你去看看他呗。你买块蛋糕给他送去。”

余楠低下头没吱声。

苏岩说:“你说话呀!”

余楠小声地说:“我不去了。”

苏岩说:“不管怎么说他是你过去的男朋友,他现在被关了起来,你去看看他不是应该的嘛！何况你本来就对不起他嘛!”

余楠转过头不解地说:“你……这是什么意思?”

苏岩说:“没什么意思！我就是觉得有点奇怪,朱亮被关进去了,你竟然像没事儿似的!”

余楠说:“朱亮是被你关进去的和我有什么关系?”

苏岩说:“当然有关系了。如果不是为了你,我能关他吗!”

余楠说:“我也没让你关他呀?”

苏岩说:“你要是这么说就没意思了。你心里非常清楚,朱亮进去就是因为你!”

余楠愣愣地看着苏岩。

苏岩说:“你得承认,在他面前你是有罪的!”

余楠说:“我没有罪!”

苏岩说:“你背着朱亮去勾引他的朋友,你没罪吗?”

余楠说:“你……”

余楠把叉子撇进蛋糕盒里,把盒子扔在仪表盘上。她起身推开门,走下了车。

余楠快速地走了几步,又慢慢地停了下来。她转身走到苏岩的车前,敲了敲窗户。

苏岩按下车窗,余楠看着苏岩指了指仪表盘上的蛋糕。

苏岩说:“啥意思?”

余楠小声地说:“我还想吃。”

苏岩为余楠打开车门,余楠上了车,像没事儿似的,拿起蛋糕,继续香甜地吃了起来。

苏岩说:“你是我见过的最狠的女人!”

余楠说:“我看出来了,你今天就是想找茬说我！你说吧,你随便说！你还要说什么?”

余楠叉起一块蛋糕递给苏岩，苏岩转过身。余楠把蛋糕放进了自己的嘴里。

余楠说："我知道你今天为啥说我。我天天住在你家，却不和你做爱，你感到不平衡！行了，今晚，我就让你平衡平衡！"

苏岩转过脸看着余楠。

余楠迎接着苏岩的目光，"你要说我不要脸是不是？说吧，你已经不是第一次说我了，再说一次！"

苏岩不知说什么好！

余楠说："你说话呀！你刚才说我有罪，其实，你的罪更大。你不仅抢了你朋友的女朋友！你还想霸占她……"

苏岩瞪着余楠，恶狠狠地说："我什么时候霸占你了？"

余楠说："你想霸占可是条件不允许啊！"

苏岩指着余楠气呼呼地说："你再给我说一遍！"

余楠轻轻地抓着苏岩的手指，温柔地说："我不说了。"

苏岩说："为什么不说？"

余楠说："我怕你打我。"

6

苏岩走进陈凯鸣的办公室，感觉气氛不太对劲儿。报社的一把手谭昌年、朱亮的母亲以及赵民坐在陈凯鸣对面的沙发里。三个人占据了全部位置。苏岩只好站着。

朱亮的母亲眼泪汪汪，她正在和陈凯鸣说着什么，见苏岩进来乜斜了他一眼。陈凯鸣则像没看见苏岩似的，态度谦卑地看着朱亮的母亲。他诚恳地说："大姐，实在对不起，这几天，我一直在省里开会。"

朱亮的母亲擦了擦眼泪，点了点头表示理解。

陈凯鸣转身冷冷地看着苏岩,“朱亮的案子怎么回事儿?”

苏岩小声地讲述着朱亮被治安拘留的整个过程。

没说完,陈凯鸣严厉地打断苏岩:“朱亮是干什么的?”

苏岩说:“是……记者!”

陈凯鸣拍了一下桌子,“因为殴打他人你就随随便便把一个记者拘留了?”

苏岩胆怯地看着陈凯鸣,想要解释解释。

陈凯鸣不耐烦地指着苏岩,“朱亮打的那个人是个流氓,这个流氓曾经欺负过朱亮。这些事儿,你知不知道?”

苏岩说:“知……道。”

陈凯鸣小声地说:“拘留前你为什么不向我报告?”

苏岩低下头不吱声。

陈凯鸣说:“说话呀!”

苏岩小声地说:“你不是到省里开会去了吗?”

陈凯鸣把桌子上一本书撇向苏岩,“滚你妈个逼!”

书重重地打在苏岩的脸上。

苏岩站在原地一动不动。

大家看着苏岩,谁也没有出声。

陈凯鸣控制住自己的情绪,指着苏岩,“出去!”

苏岩走出了办公室,小心翼翼地随手把门关上。

陈凯鸣又冷冷地看着赵民,“你为什么批准?”

赵民小声地推脱责任,“苏岩当时没说朱亮是干什么的。”

陈凯鸣把手里的材料摔在赵民面前,“这上面写得清清楚楚,你瞎呀!”

赵民不吱声了。

谭昌年侧身给陈凯鸣点燃了一支香烟,温和地说:“陈局陈局,消消火。”

陈凯鸣说:“这帮兔崽子,气死我了! 把记者给拘留了! 什么玩艺儿!”

朱亮的母亲温和地说:“陈局,不能怪他们。这也怪朱亮不懂事。拘留他几天,让他长点教训。”

陈凯鸣内疚地说:“大姐! 这个事儿吧,你回去和云山同志解释解释,我的的确确是不知道!”

谭昌年不冷不热地笑道:“陈局,不用说这些了。我们找你是求你来了,不是来听你承认错误。”

陈凯鸣像是无可奈何地,他说:“谭总啊,咱们俩还求什么呀!”

谭昌年说:“我真是求你来了。不瞒你说,我们报社最近忙死了。朱亮是我们报社的大笔杆子,我们离不开他呀! 你看看能不能先让朱亮出来!”

陈凯鸣对赵民说:“你现在就去办手续,马上放人。”

赵民面露难色,小声地解释说:“昨天,我就要放他来的,可……是朱亮拒绝向咱们法制科提出复议!”

陈凯鸣疑惑地问:“为什么?”

赵民说:“他说他不能就这么出去,他要公安局给他一个说法!”

陈凯鸣说:“什么说法?”

赵民摇了摇头,“他不告诉我。”

陈凯鸣说:“你没做做他的工作。”

赵民说:“我做了,可做不通。”

陈凯鸣瞪了他一眼,“你还能干点啥呀!”

陈凯鸣转身看着谭昌年,为难地说:“朱亮要是这样的话,有点麻烦。”

谭昌年说:“怎么麻烦?”

陈凯鸣说:“朱亮不申请复议,我没法直接放他。”

谭昌年及朱亮的母亲都说:“那……怎么办?”

陈凯鸣小声地问赵民说:“苏岩办这个案子程序上合法吗?”

赵民点了点头。

陈凯鸣转身对谭昌年说:“如果要是强行释放朱亮的话,必须让上级公安机关下达撤销命令!”

谭昌年说:“让你为难了!”

陈凯鸣说:“为难我倒不在乎,问题是,这得需要时间呐!”

朱亮的母亲说:“要不,我让云山打个电话。”

这种公然违法的电话,恐怕朱云山也不敢直接打。

谭昌年对陈凯鸣说:“你看这样行不行?我们现在去做做朱亮的工作。”

陈凯鸣说:“那当然是最好了。”

谭昌年说:“好,那我们现在就去。”

陈凯鸣对赵民说:“你坐我的车一块陪着。”

朱亮的母亲从沙发上站起来,有点晃悠。谭昌年急忙走过去,搀扶着她,走出了办公室。

陈凯鸣送他们出来,来到走廊,见到苏岩正面对着墙壁站立着。

几个人像没看见苏岩似的,向电梯走去。

陈凯鸣小声向赵民交代着,“你拿着手续去,只要朱亮提出复议,你立刻暂缓对朱亮的拘留,马上放他出来。”

赵民说:“明白。”

陈凯鸣把几个人一直送到办公大楼的门口。

谭昌年和陈凯鸣的车已经停在台阶前,陈凯鸣亲自为朱亮的母亲打开了车门。

朱亮的母亲说:“谢谢谢谢,陈局回去吧!”

陈凯鸣站在门前目送着两辆奥迪车先后离去。

陈凯鸣回到自己的办公室,苏岩从门外进来,站在陈凯鸣的门前。

陈凯鸣坐在椅子里没有表情地拿起桌子上的一支香烟。

苏岩从兜里掏出火柴,为陈凯鸣点燃了。

陈凯鸣平静地抽着烟。

烟雾一圈一圈地升起,像农村里傍晚的炊烟。

7

苏岩掏出烟递给朱亮。苏岩掏出火柴要给朱亮点燃,朱亮从苏岩手里拿过火柴自己点燃了。

苏岩说:"他们来看你了?"

朱亮点了点头,"对!"

苏岩说:"你是怎么说的?"

朱亮说:"就按你教我的,我说要和你斗争到底!"

苏岩说:"他们相信吗?"

朱亮说:"相信!"

苏岩说:"你自己也相信吧!"

朱亮没有吱声。

苏岩说:"将来,我把你放出去,你一定会和我斗争到底的!"

朱亮说:"我……不会。"

苏岩忽然说:"你昨天说王晨表面上和我谈恋爱,可实际上她却一直和徐广泽睡觉。她怕她和徐广泽的事儿暴露出来,就和我谈恋爱来做掩护。朱亮,你这种说法要是让我们领导知道了,你说他会不会怀疑是我把王晨杀了?"

朱亮微微愣了一下,"不会吧!"

苏岩说:“悬呐!王晨背着我干出这种事儿,以我的性格干掉她不是不可能啊!”

朱亮不吱声了。

苏岩说:“朱亮,实话告诉你,我现在的压力很大。”

朱亮说:“你放心吧,我不会和任何人说这件事儿的!”

苏岩说:“这我相信,但问题是,你要是给我们领导偷偷地写一封匿名信,我不就傻眼了!”

朱亮说:“我……我绝对不会干这种事儿的!”

苏岩笑了,“你撒谎,其实你已经干了。你不要否认,知道我和王晨谈恋爱的一共有五个人。徐广泽、黄敏、刘元魁、余楠再就是你!他们四个人,我一一调查,全都排除了,但只有你我排除不了。朱亮,你说不是你还会是谁呢?”

朱亮想了想,无奈地点了点头,“这个事儿是我干的!”

苏岩说:“你为什么要这么干?”

朱亮说:“你抢了我的女朋友。我想报复你!”

苏岩说:“可当时余楠并没有和我在一起,你凭什么要报复我?”

朱亮说:“你们表面上没有,但你们实际上已经在一起了。”

苏岩疑惑地看着朱亮。

朱亮说:“你和余楠去昆都饭店吃饭,没吃多长时间,你就先出来了。你开车走了,随后,余楠也走了。你肯定是先去开房间等余楠和你……约会。”

苏岩笑了,“你的联想挺丰富啊!”

苏岩当时先走是因为他把余楠骂了。

朱亮说:“苏哥,我特别特别生气。你帮我摆平了曹勇,我在心里感激你,可我没想到,你竟然能干出这种事儿,所以……我就给你写了匿名信!”

苏岩说:“你写匿名信,我能理解。只是我不明白,你怎么知道我和王晨相处时间不长呢!”

朱亮说:“我……没说过呀!”

苏岩拿出了一个小录音笔,“这是你们记者经常用的。”他打开之后,播出朱亮与苏岩上次的对话。苏岩说,王晨只是管徐广泽叫舅舅,但他们之间没有血缘关系。朱亮说,是吗!他们没有血缘关系啊!可问题是,这个事儿要是让别人知道了,我估计,就没人去追问到底有没有血缘关系了!苏岩说,你说的有道理。但朱亮,你心里清楚,我和王晨其实认识时间不长。朱亮笑道,我知道不长,可你怎么和别人去解释呀!

苏岩关闭了录音笔,“你看这可是你亲口说的。”

朱亮说:“这不是话赶话赶到这儿的嘛!我其实不知道你和王晨才处,我以为你们处很长时间了。”

苏岩说:“啊,原来是话赶话赶到这儿,我以为是王晨和你说的呢!”

朱亮说:“我都不认识王晨,她怎么能和我说这种事儿呢!”

苏岩说:“你不认识王晨?不对吧!你忘了,你和余楠请我吃饭,我领着王晨去的时候,你对王晨说:‘我见过你!’”

朱亮说:“对呀!我是这么说的。”

苏岩说:“你见过她,怎么还说你不认识她呢?”

朱亮说:“我去海鲜世界吃饭时见过她,但我和她确实是不认识啊!”

苏岩笑了,“原来你当时就认出她是海鲜世界的了。”

朱亮点了点头。

苏岩说:“那你当时怎么不说呢?”

朱亮说:“我当时没想起来。”

苏岩说:“你后来又见到过王晨吗?”

朱亮说:“见过！我们报社去海鲜饭店吃饭的时候,又见过她。”

苏岩说:“她对你热情吗?”

朱亮说:“还行。”

苏岩说:“你和报社谁去吃的饭？有郭鸣武吗?”

朱亮说:“没有。去的人你都不认识!”

苏岩说:“你说说万一认识呢?”

朱亮说:“这么长时间了,我有点想不起来了。”

苏岩说:“后来见面,你都和王晨说什么了?”

朱亮说:“就是随便问候问候,其他的什么也没说。”

苏岩说:“你给她打过电话吗?”

朱亮摇了摇头,“她的电话号我都不知道。”

苏岩说:“那你咋没向她要呢?”

朱亮说:“她是你的女朋友,我要多不好啊!”

苏岩说:“也是。但你不知道她的电话,你怎么却给她打电话呢?”

朱亮说:“没有啊！不信,你可以去查查我的手机。我从来没有给她打过电话。”

苏岩说:“你不是用手机打的。”他从兜里找出一张磁卡,“你是用磁卡电话打的。你和王晨见面的第二天,你就给她打了。”

朱亮愣住了。

苏岩凝视着他,“我说的对吗?”

朱亮胆怯地点了点头。

苏岩说:“为什么打电话?”

朱亮说:“我想问问她是否知道你和余楠的事儿。”

苏岩说:“那你为什么不用手机打?”

朱亮说:“我怕打电话的时候,你和王晨在一起。”

苏岩说："你们见面了？"

朱亮说："没有。"

苏岩说："没见面在电话里能说清楚吗？"

朱亮说："我们没说什么。她对我给她打电话很惊讶，她说，今后不要给她打电话了。"

苏岩说："是吗！她为什么对你要这么严厉呢？"

朱亮说："她觉得我背着你给她打电话，太那个了！"

苏岩说："所以，你们就一直没见面？"

朱亮点了点头。

苏岩打开自己的包拿出一个信封。他从信封里倒出了两张王晨的照片。

苏岩说："这是在你的数码相机里发现的。我把它洗了出来。"

朱亮低下头不吱声了。

苏岩慢慢地抬起朱亮的头，小声地说："到底怎么回事儿？"

朱亮紧张地看着苏岩。

苏岩给朱亮点燃一支香烟。

朱亮的手有些颤抖。

苏岩说："现在说说可以吗？"

朱亮点了点头，他一边吸烟，一边慢慢地说道：

"咱们吃饭的时候，余楠把你说了，让你很下不来台。我当时很过意不去。可是，没过两天，余楠却要主动请你吃饭。说是要当面向你赔礼道歉。这不是余楠的性格。我感觉，你和她之间不太正常。那天，你带着王晨去吃饭，我就看出，你和王晨不是情侣。你带着王晨好像是要躲避什么。第二天，我就给王晨打电话，约她出来。她有点犹豫。我骗她说，我要给她拍几张照片，我们报社准备用用。她一听十分高兴。她以为是你让我去找她呢！我们见面之后，我给她象征地拍了几张。完了之后，我请她吃饭。我告诉她说，我找她是背着你去的。她说，看出来了。我就问王晨和你到底是什么关系？开始，她不说，后来她就说了。她也看出你和余楠之间像是有什么事儿！知道这些事儿后，我非常痛苦。王晨就安慰我。她说，其实，余楠和你挺般配的。让我倒不如把余楠让出来，然后我自己再去进行新的选择。她说这种话的时候，很深情地看着我。我就明白，她是什么意思了。我以前和你说过，余楠这样的女人，我不愿意娶她做老婆。说真的，我倒对王晨产生了兴趣。她那么单纯。要是和她一起生活，我觉得应该会很幸福的。我当时就想对王晨说，如果我离开余楠，你愿意和我处朋友吗？但是，这种话，我没有说出口。"

苏岩说："为什么？"

朱亮说："我当时还不能完全确定你和余楠究竟是什么关系。也许，你们之间只是普普通通的交往。那样的话，我要是和王晨在一起，就等于我抢了你的女朋友。我没这个胆量。"

苏岩说："你和王晨上过床吗？"

朱亮说："没有。"

8

快下班的时候，陈凯鸣把苏岩叫到了自己的办公室。他的办公桌上，放着两个铁制茶叶盒。

陈凯鸣打开一个，拿出一袋的茶叶，问苏岩："这算好茶吗？"

苏岩接过来，看了看，闻了闻："好茶！"

陈凯鸣说："比你送给我的还好吗？"

苏岩说："那当然了。"

陈凯鸣说："是吗，这么好啊！"

苏岩小声地说:“谁送给你的?”

陈凯鸣说:“朱云山的秘书。”

苏岩不吱声了。

陈凯鸣说:“冲点儿尝尝。”

苏岩拿出少许茶叶放进陈凯鸣的保温杯里。

陈凯鸣说:“你也冲一杯。”

苏岩说:“不冲了,我喝完晚上睡不着。”

陈凯鸣说:“熊样,尝尝!”

苏岩只好为自己也冲了一杯。陈凯鸣品着香茶,与苏岩心平气和地聊着。

陈凯鸣说:“电视台也不帮着咱们拍宣传片了。”

苏岩歉意地说:“都怨我,这些日子,我也没找王晓光。”

陈凯鸣说:“你现在找他,他还能理你吗?”

苏岩不太自然。正像郭鸣武说的,苏岩把朱亮一个记者拘留起来,等于得罪了全市所有的记者。

陈凯鸣叹了一口气,“这段时间,新闻单位谁也不来采访我们了。”

苏岩说:“我……想办法。”

陈凯鸣说:“你想什么办法?”

苏岩说:“我请他们吃饭。”

陈凯鸣笑了,“过去我听说,记者总请你吃饭来的。”

苏岩说:“怪我太不要脸了。所以,把他们得罪了。我今后一定注意。”

陈凯鸣喝了几口茶,忽然说:“苏岩,你说,你要是去写点文章宣传宣传咱们怎么样?”

苏岩愣了一下,“我也不会写呀!”

陈凯鸣说:“你写得不错!”

苏岩紧张起来。陈凯鸣这是想把自己调出刑警队呀！

苏岩说："我给你写讲话呀写机关应用文什么的还行，可要是写新闻报道，我就不行了。陈局，这是属于文学创作。我没这两下子。"

陈凯鸣说："你在学校的时候，不是搞过文学创作嘛！"

苏岩说："那……都是小散文什么的。"

陈凯鸣不吱声了。

苏岩担心地说："陈局，你不是要调我去宣传科吧！"

陈凯鸣说："哎，真的，你到宣传科怎么样？"

苏岩心想完了完了，他重重地叹了一口气，没回答。

陈凯鸣说："你叹气什么意思？我问你到宣传科怎么样？"

苏岩说："我到宣传科倒行，可问题是，刑警队也需要我去破案呐！"

陈凯鸣说："你的意思是说，刑警队离开你，就不能破案了是不是？"

苏岩说："我不是这个意思。我是说，我更适合在刑警队工作。"

陈凯鸣不冷不热地说："怎么个适合法呀？"

苏岩不吱声了。也是，在刑警队这些年，惹了这么多的祸，净让陈凯鸣操心了。陈凯鸣大概是不想再为自己擦屁股了。

苏岩小声地说："陈局，行。如果组织需要，我干什么都行。"

陈凯鸣说："给我当秘书行吗？"

苏岩说："太行了。我最愿意在您身边工作了！"

陈凯鸣笑了，"滚鸡巴蛋！伴君如伴虎，谁说的。"

苏岩说："那肯定不是我说的。"

陈凯鸣认真地说："苏岩，我让你离开刑警队不是说你不适合那里的工作，而是，我觉得你应该发挥更大的作用。最近，我一直老想着一个问题。我们他妈的辛辛苦苦地工作,起早贪黑出生入死,可社会却总是不理解我们。不理解倒行,可也别误解啊!这个问题怎么解决呢?过去我一直希望让新闻单位多来采访我们,让他们替我们宣传宣传,以便让广大人民群众理解我们。可是,现在我觉得,别人采访我们,永远只是皮毛,他们总是站在自己的角度上。记者来采访不是宣传我们,而是为了让报纸更有卖点儿!你说,这怎么可能会突出我们呢!我想来想去,觉得只有我们自己才能一心一意地宣传自己。"

陈凯鸣认真地看着苏岩,"你应该有点抱负。在刑警队无论你破了多少案,无论你抓了多少人,你最多算得上是一名优秀的刑警。你这样的刑警有你没你,我们公安局都照样开板营业。可是,如果你要是写出点儿为咱们警察歌功颂德的好文章来,我告诉你,我们所有的警察都会在心里感激你!"

苏岩的心彻底凉了。他知道,不久的将来,他就要离开刑警队了。

苏岩说:"我……争取吧!但陈局,写出好文章不是我这种人能轻易做到的。我是拿枪杆子的,玩笔杆子不是我的长项。"

陈凯鸣蔑视地看着苏岩,"玩枪杆子也不是你的长项!"

苏岩急忙谦卑地说:"是是是!"

陈凯鸣缓和了一下语气,"我和你说这些,你认真地考虑考虑。我不是单纯地让你写出那些普普通通的文章。如果你写的与那些记者没什么两样,你还真不如不写。我要你写的是,能真实地反映我们公安生活的文学作品。比如小说和电视剧。"

苏岩糊涂了。陈凯鸣怎么越说越离谱。开始让他写好文章,现在又逼他写小说和电视剧。

小说和电视剧是他这种傻逼警察写的吗?

那可是文学呀!

苏岩战战兢兢地向陈凯鸣描述了文学神圣的殿堂。他说，文学需要有艺术的感觉。需要把头发长长地留起来。需要喝着洋酒背诵唐诗宋词。需要把嫖娼当做生活的来源。需要夜里腐朽糜烂白天却德高望重……

苏岩还引用了王晓光的话，搞文学就好像搞女人，不容易啊！不是谁都能搞明白的。

陈凯鸣被苏岩忽悠住了，他说："是吗？这么不容易啊！怪不得，咱们警察搞不出名堂来呢！"

苏岩本以为陈凯鸣会知难而退，可没成想他却语重心长地对苏岩说："我知道搞文学不容易。但正因为不容易，我才让你搞呢！"

苏岩悲伤地看着陈凯鸣。

陈凯鸣说出了自己内心的苦衷，他说："晚上回到家吧，打开电视我就想看看有关咱们公安的电视剧。可看一回我生气一回。操他妈的，也不知道都是谁在那儿胡编乱造。把咱们警察写得一个个比傻逼还傻逼。昨天我看了一个，是写破案的。案件极其简单，连我孙子都看出谁是坏人了。可破案的这些傻逼警察还一个劲儿在开会呀研究呀！二十多警察研究到深夜，也没研究明白。没办法，他们把局长找来了。这个局长一脸严肃，他听完汇报，眉头紧锁。又是抽烟又是喝水，最后，他突然拍了一下脑门，一下子想出了谁是坏人！"

陈凯鸣说说还笑了，"这不是埋汰我们这些局长嘛！破案是靠拍局长脑门啊！没有线索，就是把我们脑门拍碎了，也拍不出来呀！"

苏岩说："是嘛！太不像话了。哪个电视剧这样啊？"

陈凯鸣说："现在的电视剧都这样。"

苏岩说："是吗！我怎么没看到呢？"

陈凯鸣说:“你平时也不看电视剧吧!”

苏岩嘿嘿地笑着说:“天天这么忙,哪有时间看呐!”

陈凯鸣说:“没时间抽时间,你也得看呐,要不然,你怎么去创作剧本呀?”

苏岩说:“也是啊!”

苏岩装模作样地应付着陈凯鸣。他知道,陈凯鸣这么说的目的主要是想把自己从刑警队调走。他很了解自己的局长。陈凯鸣总是把谎言藏在真话里以假乱真。

苏岩当着陈凯鸣的面像是无意中看了看墙壁上的石英钟。

陈凯鸣说:“有事儿啊?”

苏岩不好意思地点了点头。

陈凯鸣说:“那好,你去忙吧!”

苏岩起身慢慢地离去。

陈凯鸣指了桌子上的另外那盒尚未开启的茶叶,“把这个送给你父亲!”

苏岩犹豫起来,他不想要。这是朱亮的父亲送来的。

陈凯鸣拿起茶叶递给苏岩,“拿着。”

苏岩只好接了过来。他打算找个机会,把这盒茶叶送给余楠的父亲。

苏岩拿着茶叶临出门前,陈凯鸣才问了这个晚上到目前为止最有价值的一句话:

“苏岩,你要去忙什么?”

9

苏岩说:“这么晚了,把你折腾起来,实在是对不起!”

朱亮说:“苏哥,你真客气。”

苏岩说:“刚才,我喝了不少茶,睡不着了。我过来想向你请教一个问题!”

朱亮说:“什么问题?”

苏岩羞涩地说:“我也想搞文学创作,你看我能行吗?”

朱亮说:“你想搞哪方面的创作?”

苏岩说:“我想写小说和电视剧。”

朱亮说:“这两方面,你都写呀?”

苏岩点了点头。

朱亮说:“你最好先可一头来写。”

苏岩摇了摇头,上来了倔劲儿,“我或者不写,我要是写的话,我就全写。你认为,我能写出来吗?”

朱亮说:“悬呐!”

苏岩说:“我写的故事好啊!”

朱亮说:“什么故事啊?”

苏岩说:“女人和男人的故事。”

朱亮说:“我明白,你是想写爱情呗!”

苏岩说:“也不能算爱情。我主要写的是女人和男人怎么乱搞!我要让他们搞得花枝招展五彩缤纷。”

朱亮疑惑地看着苏岩。

苏岩说:“我这么用成语是不是不对?我的意思是让他们搞乱套。但我就是不知道怎么表达。”

朱亮说:“你有原型吗?”

苏岩说:“有啊!”

朱亮说:“谁呀?”

苏岩说:“你、我、王晨、余楠!”

朱亮不太自然地说:“可问题是我也没和她俩搞过呀!”

苏岩说:“得了吧!”

朱亮说:“真的。”

苏岩说:“你没搞过余楠?”

朱亮说:“没有。”

苏岩说:“你为什么不搞她?”

朱亮说:“她那种类型我不喜欢。我喜欢盛薇那种类型的。”

苏岩点了点头,“咱俩正好相反!但朱亮,你能不能告诉我,盛薇究竟哪一点最吸引你?”

朱亮说:“她的气质。”

苏岩说:“气质?”

朱亮点了点头。

苏岩说:“盛薇有什么气质?”

朱亮说:“她有一种男人的性格,我非常喜欢!”

苏岩笑了,“你撒谎。”

朱亮说:“我没撒谎。”

苏岩说:“你还记得尹曼玲也就是那个夜总会小姐琬琦吗?”

朱亮不自然地点了点头。

苏岩说:“琬琦也有这个气质吗?”

朱亮说:“没有。我和她是为了……那样。”

苏岩说:“你的意思是说,你和盛薇是为了爱情,而你和琬琦就是为了欲望?”

朱亮说:“是的!”

苏岩目不转睛地看着朱亮,“你又在撒谎。琬琦向我讲述了你的一个爱好。她说你特别特别喜欢女人的脚。她说的对吗?”

朱亮低下了头。

苏岩抬起朱亮的头,“我问你话呢?”

朱亮点了点头。

苏岩温和地说:“那个琬琦的脚漂亮吗?”

朱亮点了点头,“漂亮。”

苏岩说:“盛薇那天请我吃饭的时候,她穿的是凉鞋。我注意到她的脚也很漂亮。我说的对吗?”

朱亮小声地说:“对!”

苏岩说:“这样看来你喜欢盛薇和琬琦不是因为她俩的气质而是因为她们俩都有一双漂亮的脚,是吗?”

朱亮点了点头。

苏岩盯视着朱亮,“余楠的脚漂亮吗?”

朱亮犹豫了一下无可奈何地说:“漂亮。”

苏岩笑了,“这样来说,余楠也是你喜欢的类型呀!那你为什么不干她?”

朱亮说:“她不让!”

苏岩说:“啊,原来她不让。她要是让的话,你就会干她了呗?”

朱亮说:“是的。”

苏岩把一张照片递给朱亮。照片里只能看到女人的腿和一双脚。

苏岩说:“这双脚漂亮吗?”

朱亮点了点头。

苏岩说:“这就是王晨的脚!”

朱亮说:“我没……干她!”

苏岩说:“为什么?王晨也不让你干吗?”

朱亮说:“我和她没机会,我们接触时间太短了,要是长的话,也许,我会的。”

苏岩微微叹了一口气,“你进来的第一天,拘留所在你身上抽了一管血,还记得吗?”

朱亮点了点头。

苏岩说:“他们为什么要抽你的血?”

朱亮说:“说是体检。”

苏岩说:“他们在骗你！其实,是为了把你的血送到我们公安厅去进行DNA检验。”

苏岩从兜里拿出了一份检验报告,放在了桌子上,“这是我的同学打车连夜从公安厅给我送来的。”

苏岩指着鉴定结果,“王晨阴道里的精液与你血液的DNA经比对,具备同一认定。就是说,那些精液是你留下的!”

朱亮颓丧地坐在椅子里。

苏岩收起报告严厉地看着朱亮,“过去对你是治安拘留,但明天我们就要把你转为刑事拘留。我明确告诉你,你现在已经是涉嫌杀害王晨的犯罪嫌疑人!”

朱亮愣愣地看着苏岩。

苏岩说:“6月11号上午,你在哪儿?”

朱亮说:“在……王晨那儿。”

苏岩说:“干什么了?”

朱亮说:“我……把她睡了,但我没杀她!”

苏岩恶狠狠地说:“以前你跟我要跟我装糊涂,我没跟你计较。但从现在开始,你要是再跟我讲没用的,操你妈,朱亮,你可别说我没事先提醒你!”

朱亮胆怯地看着苏岩。

苏岩把自己的脸贴近朱亮的脸,面露狰狞道:“能不能痛快点儿?”

朱亮小声地说:“是我杀的。”

10

苏岩回到家已经后半夜了。余楠还在等他。像往常一样，余楠为苏岩做了四菜一汤。

苏岩坐在桌子前一边津津有味地吃着饭，一边把朱亮交代杀害王晨的情况简单地说了一遍。苏岩说话的语气十分平稳，好像他说的这个朱亮是与他们毫不相干的一个人。

余楠坐在苏岩的旁边，静静地听着。她的表情也很沉静。她只是听没有说。她没有问朱亮为什么要杀王晨，也没有问朱亮杀了王晨会有什么样的后果。她的态度比苏岩还要麻木。

苏岩大概是饿了，他吃得很快。吃完之后，他也讲完了。他要收拾碗筷，余楠不让。她说："忙一天了，你休息吧！"

苏岩说："那就麻烦你了。"

余楠在厨房里刷碗收拾。

苏岩来到客厅的沙发上，脱了衣服，钻进毯子里，很快闭上了双眼。

这些日子，苏岩太累了，他现在需要一个深沉的睡眠。

也不知睡了多久，苏岩醒来了。他以为是尿憋的。睡觉前，他喝了不少的汤。睁开眼睛，才发现是余楠把他捅醒了。

余楠坐在沙发边上。

从卧室里隐约射出来的光线映衬出一张妩媚的脸。

苏岩起身，余楠急忙抱住苏岩，她问："你要干什么去？"

苏岩说："我上卫生间。"

余楠说："我不让你去。"

苏岩反身把余楠抱起，他能感觉出余楠浑身在哆嗦。苏岩把余楠抱到了卧室的床上，他亲了一下余楠的脸颊，"我马上回来。”

苏岩来到了卫生间，方便完之后，没有马上出来。他站在镜子面前，仔细地看着自己睡眼蒙眬的面孔。他的思想慢慢地清醒过来。

卫生间的门开了，余楠走了进来。她站在苏岩的身后，抱住苏岩。她的身体比刚才还要哆嗦。

余楠说：“我……害怕。”

苏岩没吱声，他把余楠再次抱起，来到了卧室里。余楠死死地搂着苏岩的脖子，像是怕苏岩离开自己。

苏岩搂着余楠躺进了宽大的被里。

余楠把身体蜷缩在苏岩的怀里，依然不停地抖动。

苏岩抚摸着光滑的身体，小声地说：“别怕，都过去了。”

余楠说：“你说他会不会杀我？”

苏岩说：“不会的。”

余楠说：“他会他肯定会。他不仅会杀我，他还会杀别人。”

苏岩想问，别人？别人是谁呀？但他忍住了。他耐心温柔地安慰余楠，“亲爱的，别胡思乱想了。朱亮不是属于那种变态杀人。他杀王晨应该是一时失手。他和王晨约会的时候，徐广泽用钥匙开门，朱亮没法面对徐广泽，他藏在门后，就把徐广泽打昏了。朱亮担心王晨会把他们的事儿告诉徐广泽，就在情急之下，用花盆把王晨砸死了。朱亮现在非常非常后悔，他没有埋怨别人，他说，都怪他自己。他认为自己不该为了欲望偷偷地和王晨约会。他恨死自己了。他承认他当时只是一时冲动……”

这些话，朱亮并没有交代。苏岩之所以这么说，主要是打消余楠的心里顾虑。

自己曾经的恋人要真是一个杀人不眨眼的凶手，谁都得后怕的。

余楠在苏岩温和的讲述中，渐渐地平静下来。她流着眼泪，开始了自责。

余楠说："都怨我。如果我不让他伤心，他也不会去找王晨的。苏岩，你说得对，在朱亮面前，我的确有罪！"

11

陈凯鸣的办公室是个套间，外面是个小型会客厅。会客厅的门没有关，苏岩进来之后，见到里面套间的门关着。他隐隐约约地听到里面有说话的声音。

苏岩走了出来。他在门前的走廊里来回踱着步。

过了好半天，赵民走了进来。

赵民说："你找陈局长。"

苏岩点了点头。

赵民说："你进去吧！"

苏岩说："那好！"

苏岩向里走的时候，他能感觉到背后赵民那审视的目光。

苏岩进屋的时候，陈凯鸣正在翻看着一本厚厚的卷宗。他没答理苏岩。

苏岩只好坐在沙发里等着陈凯鸣。

陈凯鸣把厚厚的卷宗翻完之后，才抬头看着苏岩，"你说吧！"

苏岩平静地把审讯朱亮的情况讲了一遍。讲的同时，他把省厅 DNA 检验报告放在了陈凯鸣的桌子上。

陈凯鸣简单地翻了翻就合上了。像是对此不感兴趣。

苏岩糊涂了。

陈凯鸣说："你刚才说，朱亮已经承认是他杀了王晨？"

苏岩说:“是!”

陈凯鸣说:“你吓唬他了吧!”

苏岩疑惑地看着陈凯鸣。

陈凯鸣不耐烦地说:“你是不是吓唬他了?”

苏岩说:“没怎么吓唬。”

陈凯鸣不再吱声,他拿起一支香烟。苏岩掏出火柴起身要为陈凯鸣点燃。

陈凯鸣这时已经拿起了桌子上的打火机,自己点燃了。苏岩只好尴尬地坐回沙发。

陈凯鸣慢慢地抽着烟。

陈凯鸣说:“朱亮交代作案过程了吗?”

苏岩说:“还没有。”

苏岩解释了没问这些具体问题的理由。他由于涉嫌与王晨有着特殊的关系,已经被要求回避侦破王晨被杀案。现在既然确定朱亮是这起杀人案的犯罪嫌疑人,苏岩就不能再继续审理了。

苏岩说完,陈凯鸣没有理会。他还是默默地抽着烟。

苏岩小声地建议说:“今天是不是就把朱亮转为刑事拘留?”

陈凯鸣说:“为什么?”

苏岩疑惑地看着陈凯鸣,但他还是小声地说:“因为朱亮已经是犯罪嫌疑人了!”

陈凯鸣重重地叹了一口气,“我觉得现在还不能确定。”

苏岩彻底糊涂了。但他表面上却不动声色地看着陈凯鸣。

陈凯鸣解释说:“最近,市里对咱们正在进行执法大检查。我们要谨慎一些。”

苏岩没吱声。朱亮是涉嫌杀害王晨的犯罪嫌疑人!再谨慎,也不能谨慎到这个程度啊!难道陈凯鸣要屈服了!

苏岩不太敢往下想了！

陈凯鸣说："朱亮这个案子先放一放吧！"

再过两天，对朱亮的治安拘留就要到期了。难道到时候，陈凯鸣敢直接放了朱亮？

苏岩低下头不再看陈凯鸣。

陈凯鸣起身把桌子上的那本厚厚的卷宗放在了苏岩的面前。

"你们赵队破获了一起系列抢劫案，你帮着搞一下！"

第七章

1

谢森走进建设银行中心储蓄所。屋子里等待办理储蓄业务的客人不少。他在门口的排队机打下一张号码。他看了看墙壁上的显示屏幕,离他还有将近30号。他坐在椅子里等着叫自己的号码。

谢森知道屋子里的各个角落都有监视探头。他尽可能减少左顾右盼。他经常做的动作是较为夸张地看了看腕上的手表。这给人一种错觉,认为他很忙。这样如果他突然站起身离开时,大家都认为他有事儿等不及先走了。

谢森用眼角的余光注视着一位大约四十岁左右的妇女。她衣着时髦,皮肤光亮。谢森觉得,这个女人应该是她的目标。选择目标,谢森没有严格的标准,他凭借的是瞬间产生的直觉。

轮到这个女人办业务了。谢森看到女人从兜里仅仅拿出了存折。这说明,女人到银行是来取钱的。

谢森装作不耐烦地看了看表,随后站起身走出了银行。他要在这个女人之前,离开银行。这样一来便于跟踪,二来免除怀疑。

谢森来到银行门前的停车场,他自己有一辆破旧的夏利轿车。轿车是红颜色,与路上比比皆是的出租车很接近。他把车开出停车场,停在距离银行不远处的一处阴影之中。这里是死角,银行门前的监视器看不到。

等了几分钟,谢森见到女人从银行里出来。女人上了一辆白色的马自达轿车。

谢森等着女人的车驶过之后,便开着自己的红色夏利跟在后面。

谢森不是紧紧地跟着,而是至少隔着一辆车。

女人的车驶进了帝豪小区。谢森的车也跟着驶进了帝豪小区。

来到门前,他对保安说,我去接客人。保安以为是出租车,就让他进去了。

谢森把车停在白色马自达的旁边。女人已经进楼了。

谢森下了车向楼门口走去。

现在是上午十点左右,整个小区一片安静。谢森站在楼门口,掏出那种特制的钥匙。用了十五秒就打开了防盗大门。

谢森走进楼内,他来到了电梯前。他注意到电梯的指示屏幕上显示的数字为6。

这个女人应该住在6层。

谢森离开了。

第二天上午九点,谢森又来到了这里。他没有坐电梯,而是沿着楼梯来到了6层。

楼梯里静悄悄的只有谢森一个人。

谢森在6层等待着。这种等待是不确定的,有时他等上两个小时,女人也没有出现。一般来说,他等待超过两个小时就取消行动。

这次令谢森比较满意。他等了大约二十分钟,那个女人就从家里出来了。

谢森躲在楼梯的阴暗处。他可以看见女人的背影,也可以听到女人的一举一动。

女人拿出了钥匙哗啦哗啦在锁门。谢森认为,屋子里这时应该是没人了。

谢森拿出黑色的长统袜蒙在了头上,又拿出一把水果刀放在手里。

女人转身时见到这样一个人多半吓得要死。

谢森压低声音地说:“喊就整死你!”

女人浑身哆嗦着。

谢森说:“把门打开。”

女人打开门,谢森把女人推进屋子里。

谢森尽可能少说话,女人已经吓得浑身颤抖,没等谢森说话,就从兜里和抽屉里拿出了家里全部现金。一共是二万三千七百四十元。女人甚至把六元零钱也放在了谢森的面前。

谢森把钱放进自己的兜里,把女人绑在了凳子上。

女人闭着眼睛一声不吭。

谢森威胁她说:“你要是敢报案,小心你的家人!”

谢森拿着钱离开之后,女人重重地松了一口气。

女人打算不报案。两万多块钱对她来说,无所谓。但她的丈夫坚持报案。丈夫觉得抢劫妻子的这个男人应该知道她家的底细。要不然,他怎么知道家里有现金呢!

公安局接到报案后开始立案调查。他们起初也认为是熟人作案。于是,围绕着女人和其丈夫的社会关系开始了调查。调查一段时间之后,没有任何线索,这个案子也就放下了。入室抢劫二万余元,虽然属于特大案件,但没线索,警察也无能为力。警察要破的不止是这一起案子。没办法,警察也只能先可着杀人之类危害更严重,影响更恶劣的大案去侦破。

谢森一共抢劫类似案件十七起,可最终陆陆续续报案的只有三起。公安局是从第二起开始重视的。到了第三起,便已经把这些案子进行了并案侦查。根据技术科提供的痕迹鉴定,可以肯定三起抢劫案为同一犯罪分子所为。这为侦破提供了重要方向。三起案子的被害人之间无任何联系,这说明熟人作案的可能性不大。三起案子的显著特征是被害人在这之前都到银行取过现金。

公安局调取了监控录像,侦察员们一眼就判断出是谢森所为。因为只有他在这些监控录像中同时出现。谢森做的诸如假装看手表的那些动作不仅没帮助他,反而更坚信了侦察员对他的认定。于是,根据谢森夏利轿车的车牌号,很快抓住了他。

现在虽然只掌握谢森三起抢劫案,但侦察员判断谢森干的案子肯定会远远大于三起。

谢森长得文质彬彬看着不像个坏人。但这种人往往比看着像坏人的更难以对付。

赵民向陈凯鸣汇报这个案子时,陈凯鸣决定让苏岩参与审讯。

陈凯鸣的理由是,苏岩最善于对付这样的家伙。但赵民心里不痛快,因为这就意味着让苏岩可以轻易地立功。

2

苏岩没有马上审讯谢森,他先把其他侦察员分成四班,连续突审谢森。侦察员四小时就下去休息,但谢森得不到任何休息。苏岩把谢森折磨得精疲力尽之后,才姗姗出场。

人的精力和体力是有限度的,到了一定时候一般人都受不了。况且,谢森不像曹勇刘元魁之类有犯罪前科,他过去没和警察打过交道，对警察采取的手段闻所未闻。

苏岩出场的时候，谢森的心理防线基本上崩溃了。

苏岩抚摸着谢森的脑袋耐心诚恳说道：

我告诉你，我们一共分了九个班，到我这儿才是第五个班，你要是再装革命烈士，你可就要遭罪了！你算个鸡巴毛啊！某某某你知道吧！他在俄罗斯的时候，把那里的警察都灭了，可是他回来之后落到我们手里不也一样拉鸡巴倒了。谢森，我来是最后提醒你，你要是再给脸不要脸，操你妈，你看我们怎么收拾你！你不要以为你保持沉默，我们就拿你没办法了。太简单了，我们把你的作案经过写成文章，再把你蒙上女人袜子的形象拍成照片，只要报社电视一公布出来，所有的被害人都会到我们这里来报案。到那时，你就是再想交代都来不及了。我为什么先不那么干，就是觉得你和其他犯罪分子不太一样。你看了那么多的书，有那么多的学问，我不忍心让你受到严厉惩处。我这么做是给你一个机会，为你争取坦白从宽！

苏岩不仅施展耐心细致的思想攻势，同时，他还像朋友似的对谢森关怀备至。谢森饿了，他去买饺子，谢森渴了，他拿出蓝带啤酒。

人心都是肉长的，刚才那些警察对待自己是严厉的表情和闪着火花的电警棍。而这个白白净净的警察对待自己就像是亲生的父亲。

苏岩三下两下把谢森给整晕了。没用两个小时，谢森就开始一五一十地坦白了自己抢劫犯罪事实。

苏岩心平气和地审讯着谢森。

“老弟，你开锁是跟谁学的？”

“陈传辉。”

“他呀！我认识。”苏岩叹着气，“你说你既然有了这门开锁手艺，好好地为人民服务多好，为什么非得走向犯罪的道路？”

谢森也叹着气，“谁说不是呢！”

苏岩说：“既然你会开锁为什么不直接去盗窃呢？”

谢森说：“现在谁家会放着那么多的现金？就是有现金的话，我进去之后，也找不着啊！再说，咱们市里会开锁的一共就这么几个人，我要是光指着开锁去盗窃，你们用不了几天就能把我抓住了。”

苏岩竖起大拇指，“高啊，实在是高！你小子挺有学问啊！”

谢森得意地喝了一口啤酒，脸上露出几许沾沾自喜。

苏岩说：“你从银行跟着被害人到了她家，你为什么不马上进屋抢劫而是隔了一天呢？”

谢森说：“那样的话，她会猜到我是从银行跟着她来的。我第二天来呢，她就不大容易想到了。她会认为我来她家抢劫一定是认识她。这样呢，她轻易地不敢报案，就算报案的话，你们也得围绕她的亲属朋友去调查。我就可以永远逍遥法外了。”

苏岩脸上露出佩服的表情，“我和我们领导建议一下，应该把你调到我们公安局来帮我们破案呐！”

谢森被忽悠蒙了，他得意地说：“我不是跟你吹，我要是当警察，我肯定是把好手。”

苏岩说：“那是那是。哎，我问你，你这么高的学问是从哪学来的？”

谢森说：“我是书上学来的。”

苏岩说：“书上？”

谢森点了点头，“不瞒你说，我从小就热爱文学。”

苏岩疑惑地说：“热爱文学？难道文学还能教你怎么犯罪？”

谢森说：“当然了。”

苏岩说：“我不信。”

为了说服苏岩，谢森开始举例。他从古代讲到现代。从中国讲到外国。谢森滔滔不绝，一口气说出了一大堆书名。

苏岩说："操你妈，这些书哪本教你去入室抢劫犯罪了？"

谢森说："这些书教我的是犯罪思想，具体犯罪方法，是我在思想的指导下，自己悟出来的。"

苏岩挖苦谢森，"你挺聪明啊！"

谢森恬不知耻地说："确实。我天生就聪明！不信，我可以给你背诵π小数点后面的数字，3.1415726……"

谢森连续背到了二百五十位。

苏岩说："行了行了。我知道你聪明了！"他批评谢森，"你热爱文学，我不反对。但你由此走向犯罪道路，你现在不后悔吗？"

谢森说："热爱文学，我无怨无悔！"

苏岩说："你他妈的都进监狱了，还无怨无悔？"

谢森说："说出来，你可能不信。我一点都不怕进监狱。我都想好了，我要是进监狱的话，我就开始一心一意地搞文学创作。"

苏岩说："搞文学创作跟进监狱有什么关系？"

谢森说："搞文学需要深刻的体验和特殊的经历。为了获得无与伦比的体验和经历，我必须要蹲监狱。一个日本的伟大作家小泉龙太郎说过这样一句话，只有进过监狱才算有了完整人生。为了获得这个完整人生，我才决定入室抢劫。"

苏岩心想，这不是精神病嘛。但他表面上却假装惊讶地说："真的？"

谢森得意地点了点头，"你想想看，我现在有了这么多深刻的犯罪体验，我肯定会写出让文坛震惊的作品来。"

苏岩说："你准备写什么作品？"

谢森说："我还没有彻底想好，我初步打算先写出四卷一百六十万字。”

苏岩说：“这么多字呀！这算得上长篇吧！”

谢森说：“何止长篇呀！你没文化，你不懂。我告诉你，《红楼梦》也没这么多字。”

苏岩说：“了不起，了不起。你写这个长篇得需要多长时间呐？”

谢森说：“怎么的也得两年吧！”

苏岩惋惜地说：“两年的话，时间太长了。”

谢森说：“不长。换成别人写这么大部头的作品，至少得十年。”

苏岩说：“问题是你和别人不一样啊！你没有那么多时间呐！”

谢森说：“我知道你是说监狱里会让我天天劳动，不会让我天天搞创作的。”他温柔地看着苏岩，“我为什么对你主动坦白交代，就是想到时候让你帮我跟监狱的领导说说情，能给我提供一个良好的创作环境！”

苏岩说：“这没问题。你不知道，像这种人才，我不去说情，监狱里的领导也会照顾你的。”

谢森说：“你还是说说好！”

苏岩说：“我说一点用都没有。谢森，你还不知道吧，你不可能进监狱了。”

谢森疑惑地看着苏岩。

苏岩从桌子旁边的书架上，找出一本已经有些磨损的《刑法》。

苏岩说：“我不是批评你，你愿意看书，我不反对，但你不应该光看文学书。像这种法律书，你更应该好好看看！”

苏岩迅速地翻到了一页，“这是第二百六十三条！”

苏岩把书放在了谢森的面前。

谢森贪婪地看着。

苏岩解释说:“抢劫数额特别巨大是要判处死刑的!”

谢森放下书愣愣地看着苏岩。

苏岩说:“你不相信。”他随手在桌子上按下免提电话,拨通了法院刑一厅厅长王凤军的手机,“王老师,你好!我是苏岩。”

王凤军说:“你这是哪儿的电话?咋不用你手机呢?”

苏岩说:“用自己手机多费钱呐!”

苏岩笑嘻嘻地和王凤军聊着,他无比认真地咨询道,持刀蒙面入室抢劫的数额已经达到谢森这个程度应该判处多少年啊?

王凤军挖苦苏岩:“你赶紧离开公安局吧!还判多少年?你不法盲嘛!像他这种情况至少可以枪毙三回!”

屋子里很静,王凤军的声音清楚无比。谢森吓得浑身抖个不停。

苏岩放下电话惋惜地看着谢森,“你看我没骗你吧!你可以被枪毙三回!”

谢森绝望地看着苏岩。

苏岩同情地说:“你呀你呀都是让文学害的。”

谢森点了点头,“你说得对!”

苏岩说:“人的生命只有一次。枪毙一次和枪毙三次或者四次对你来说是没有任何区别的。既然这样,你能不能实在点儿?”

谢森已经完全崩溃了,他无助地看着苏岩。

苏岩轻声地说:“你还有没交代的对不对?”

谢森低下了头。

苏岩说:“你要是不说的话,我就让别的警察审你了。我可告诉你,他们可就不会像我对你这么客气了。”

谢森抬起头眼泪汪汪地看着苏岩。

苏岩温柔地说:“是什么案子呀?”

谢森哽咽地说:“是……杀人案!”

苏岩说:“在哪儿?”

谢森说:“花园小区。”

苏岩说:“什么时候啊?”

谢森说:“你不用套我了。就是那个你们曾经发出通缉令的杀人案!我现在承认那个女孩就是我杀的。”

苏岩说:“你别哭。你好好说。”

谢森说:“我本来没跟踪那个女孩,我是跟踪她家楼上的一个女的。第二天,我等了那个女的快两个小时了,她也没出来。我就下楼往回走,我刚下了一层,就碰到一个男的鬼鬼祟祟地从402出来。我就躲在楼梯里等了一会儿。我想等这个男的走远,我再离开。这时,402的女孩出来了,她用钥匙在锁门,我就知道,屋子里没人了。我蒙上袜子过去把她劫住。这个女孩非常配合,她在屋里给我找出了将近一万块钱。最后,我走的时候,要把她绑在凳子上,可是,没想到,她用那种眼光看着我。她说,玩玩吗?我受不了。我摘下脸上的袜子,亲吻她。我刚把她身上的绳子解开,外面就传来用钥匙开门的声音。我吓坏了。急忙跑到了门后,进来的是一个岁数很大的男人。我用花盆把他打倒了。我当时就想拿着钱赶紧走,可是我一想,那个女孩已经看到了我的脸,我怕她将来指认我,就把她……砸死了!”

苏岩不动声色地问道:“你刚才说你见到一个年轻的男人从402鬼鬼祟祟地离开,是吗?”

谢森点了点头。

苏岩拿出了十张照片让谢森辨认。

谢森认真地看了一遍,把朱亮的照片挑了出来,“是他!”

3

走廊的尽头是一个凉台。平时凉台的门用一根铁丝钩牵着。苏岩拿开铁丝，推开门来到凉台上。

公安局大楼临着繁华的上海路，白天车来车往十分喧闹。现在却是一片寂静。

街道上弥漫着朦胧的灯光，夜空里闪烁着点点繁星。

苏岩一屁股坐在了冰凉的台阶上。他的身体剧烈地颤抖着。他把双手握成拳头希望能让自己平静下来。

这么多的巧合竟然会如此巧合地不期而至！

夜风迎面吹来，苏岩感到阵阵寒意。

4

苏岩向朱亮解释的时候，目光不由自主地躲闪着。他详细地诉说了谢森作案的全部经过。

朱亮警惕地看着苏岩，他在心里压根儿就不接受这几乎传奇的巧合。他认为，苏岩又在玩新的花招。

苏岩歉意地说："对不起，我错把你当成了犯罪嫌疑人。朱亮，我知道，你可能在心里也把我当做了犯罪嫌疑人。你一定以为是我杀了王晨，然后要嫁祸于你！对不对？"

朱亮点了点头，他也确实是这么认为的。

苏岩叹了一口气，"你怀疑我，我怀疑你。结果我们俩都怀疑错了。朱亮，这个事儿吧，你能理解呢就理解，不理解呢，我也没办法。"

朱亮胆怯地看着苏岩，小声懦弱地说："苏哥，我理解我理解。”

苏岩叹了一口气,“希望你理解吧!其实,朱亮,我也没少照顾你!按照当时我掌握的情况,我完全可以直接对你刑事拘留。我没有这么干就是怕万一错了,会给你带来不必要的伤害。我对你治安拘留为什么以你殴打他人作为借口,你心里应该清楚。你想想,我要是把你按嫖娼处理的话,即使现在证明你与杀人案无关,你今后也没脸见人了。”

朱亮不断地说着感激的话,“苏哥,我知道你对我是真好。你放心吧,将来我一定报答你!”

苏岩郑重地说:“朱亮,你理解错了,我不是让你报答,而是希望你能原谅我。这个事儿,都怨你苏哥没给整明白,我把你冤枉了。我向你道歉!”

经过反反复复解释,反反复复道歉,苏岩总算让朱亮明白,把他当做犯罪嫌疑人是由于苏岩的失误造成的。

朱亮渐渐地从这场噩梦中醒来了。

苏岩说:“对不起,对不起,都怨我。”

朱亮的眼睛里含着泪水,但他对苏岩仍心存戒惧,他讨好地说:“苏哥,不怨你,真的不怨你!”

苏岩主动为朱亮办完了全部手续。他说:“现在你就可以回家了。”

朱亮说:“你是让我回家吗?”

苏岩说:“是的是的!”

朱亮却说:“我……不想回去。”

苏岩说:“为什么?”

朱亮说:“我……有罪。”

苏岩说:“你没有罪。”

朱亮说:“我都承认是我杀害了王晨。”

苏岩说:“你承认是让我逼的。朱亮,我正式通知你,你已经被无罪释放了。”

朱亮的神态像是受到了惊吓。

苏岩有点害怕。可千万别再把朱亮吓出毛病来。

苏岩亲自开车送朱亮回家。

一路上,朱亮萎缩在车座里,眼里充满了恐惧。

到了家门口,朱亮死活不下车。

苏岩说:“朱亮,你怎么了?”

朱亮小声地说:“苏哥,有人想要害我!”

苏岩认为朱亮可能怀疑余楠要害他。

苏岩心平气和地解释了,他是如何发现的那些照片和证据。他说:“朱亮,我们找到这些证据和余楠没关系。你要对余楠要有个正确认识。她离开你不是她的原因,完全是因为我对她穷追不舍。你进拘留所后,她一直求我要去看看你,由于我的阻止,她才没去上……”

朱亮说:“苏哥,你理解错了。我没怀疑余楠!”

苏岩说:“那你怀疑谁?”

朱亮小声地说:“朱云山!”

苏岩心里咯噔一下,他不动声色地看着朱亮,却不知说什么好。

朱亮恐惧说:“你知道他为什么要害我?”

苏岩说:“朱亮,别胡说。”

朱亮说:“我没胡说。我一生下来他就想把我害死……”

苏岩说:“朱亮,你怎么了?他是你父亲!”

朱亮痛苦地低下头,凄凉地说:“他不是我父亲。”

朱亮可能已经知道朱云山和余楠的秘密。苏岩现在十分为难,他不知道是否应该继续听朱亮把真相说出来。真相有时比欺骗更难以接受。苏岩甚至觉得,这个真相比错把朱亮当做了犯罪嫌疑人还要残忍。错误能够纠正,可真相只能面对!

苏岩小声地说:“朱亮,不要胡思乱想了。你进拘留所后,你爸都急坏了。他让自己的秘书找过我们局长。”

朱亮冷笑道:“不可能!我的事儿一直都是我妈在跑。如果朱云山真想出面帮我,我早就出来了。”

苏岩说:“你怎么一口一个朱云山,他是你的父亲!”

朱亮迷茫地看着苏岩,“我刚才说了,他不是我父亲。你查了我的血,你应该再去查查他的血。”

苏岩疑惑地看着朱亮。

朱亮低下头小声地说:“我妈的血型是O型,朱云山的血型是A型,可我的血型却是B型。你认为,他能是我父亲吗?”

苏岩惊愕地看着朱亮。

朱亮哽咽地说:“从小他就看不上我,他打我骂我,不给我饭吃,把我关在黑屋子里……我始终不知道是怎么回事儿。直到十六岁的时候,我才无意中知道了这个秘密。”

苏岩不知所措地看着朱亮,他心里充满了内疚。朱亮能说出埋藏心底的秘密,说明他的心理防线已经崩溃。这几天拘留所痛苦的经历彻底摧毁了朱亮。

苏岩小声地说:“朱亮,对不起,我不该拘留你!”

朱亮说:“和你没关系。这是朱云山希望我去死……苏哥,我现在心里很痛苦,我不知道今后该怎么办?”

苏岩说:“朱亮,我……也不知道该说点什么好!但我希望你应该振作起来……”

朱亮说:“你看我这个样子还能振作起来吗?报社的这个工作是我妈求谭昌年办的。我好不容易得到了这个工作,可我现在却……”

苏岩说:“现在对你的处罚只是治安拘留,这不会影响你的前程。”

苏岩回想着谭昌年在朱亮出事儿之后那些种种焦急的表现,他忽然意识到,谭昌年不会是朱亮的亲生父亲吧!

苏岩心里酸酸的。

朱亮的眼睛迷茫地看着苏岩。

苏岩无比真诚地安慰着朱亮并实心实意为他出谋划策:

“朱亮,你就放心吧!你被拘留是因为殴打曹勇。都知道曹勇是社会地痞,你打他等于是为民除害!报社不会嫌弃你的。另外,你不是想要搞文学创作嘛!我觉得,你这段经历可能是很好的素材。”

苏岩想起了谢森说过的一番话,他喋喋不休地劝说着朱亮:

“你进拘留所其实是为了实现你心中的文学之梦。你那么热爱文学,你知道,文学需要深刻的体验和特殊的经历。为了获得无与伦比的体验和经历,你决定去监狱呆上几天。因为一个文学家说,只有进过监狱才算有了完整人生。”

朱亮被苏岩真诚的话语打动了,他热烈地看着苏岩。

苏岩说:“为了获得这个完整人生,你决定干点儿违法的事儿。但你不想去伤害无辜,于是你找到过去总欺负你的那个流氓。为了文学的梦想,你勇敢地向他挑战。你知道这对你来说很难也很危险,因为你一直害怕这个流氓。但由于你心里怀揣着文学的梦想,你竟然打败了这个流氓。由此,你不仅得到了进监狱的机会,你还明白了一个道理,那就是战胜流氓的最好办法,就是要比流氓更流氓。”

5

苏岩晚上回家的时候，余楠已经很平静了。她做好了四菜一汤，像往常一样殷勤地伺候着苏岩。

两个人起初谁都没提朱亮，他们彬彬有礼地吃着饭。吃着吃着，余楠的眼睛湿润起来，她内疚地说："苏岩，这个事儿都怨我。我不该怀疑朱亮。"

苏岩不想谈这个话题，他说："都已经过去了，好好吃饭吧！"

可余楠还继续说着，她竟然说：

"苏岩，你知道我为什么会怀疑朱亮犯罪吗？那是因为我自己有罪！"

说出这种话，余楠大概是没少反思自己。看起来，余楠也准备要向苏岩忏悔一番。但苏岩却非常担心余楠再说出什么令他尴尬的秘密来。

朱亮诉说的那个秘密已经让苏岩不知所措。苏岩再也不想去接受新的刺激了。

苏岩果断地转移了话题，他平静地问余楠："你哪天开学呀？"

余楠愣住了。她惊讶地看着苏岩。

苏岩说："你别这样看着我，我是无意中知道的，你买票了吗？"

余楠说："还……没有。"

苏岩说："我给你买吧！"

余楠坐到苏岩的身边，小声地说："你……是怎么知道的？"

苏岩没回答，而是心平气和地问道："你什么时候考上的？"

余楠说："我没考试。"

苏岩说:“没少花钱吧!”

余楠点了点头。

苏岩感慨地说:“现在这个社会太好了,考大学可以不用考试。你不知道,我那时考大学差点没把我累死!”

余楠不自然地说:“我这个和你的不一样,将来不给文凭。”

苏岩安慰她说:“什么文凭不文凭的,现在一点用都没有。我觉得,你去学点儿知识才是最有用的。”

余楠说:“我……也是这么想的。”

苏岩说:“你学的是什么专业呀?”

余楠说:“是财会。”

苏岩不动声色地说:“财会呀!也行!其实,余楠,我倒觉得你应该去学学表演!”

余楠一下子站起来,紧张地向后退了一步。苏岩不解地看着她。余楠急忙又坐在苏岩的身边,猛地搂住了苏岩的脖子。

苏岩说:“你怎么了?”

余楠紧张地说:“你……会坏我吗?”

苏岩说:“我坏你!我坏你干什么?”

余楠哆嗦着,“你认为我和你一直在表演是不是?”

苏岩说:“没有啊!”

余楠说:“肯定是。你认为我是个骗子!”她说着说着哽咽起来,“苏岩,我……没骗你……我只是不知道怎么和你说!我和朱亮处朋友是想离开一个男人……我想去上学……可是,朱亮让我害怕!我和你好虽然是想利用你摆脱朱亮,但……我是……真的喜欢你!”

苏岩轻轻地推开余楠认真地看着她,余楠回避着苏岩的目光。

苏岩说:“还记得我领你去的那个游乐场吗?”

余楠点了点头。

苏岩起身,从兜里掏出那只可爱的玩具小黑熊。余楠接过来惊喜地看着。

苏岩说:“你猜我是怎么得到的?”

余楠摇了摇头。

苏岩说:“你当时不是不想让那个小吊车夹住它的脖子吗!游乐场的老板是我的朋友,我让他打开了门,我是用手把它拿出来的。”

余楠情不自禁地搂住苏岩的脖子。

苏岩没话找话,“你为什么这么喜欢这只小黑熊呢?”

余楠说:“因为它像你……”

苏岩说:“得了吧!我也没它那么黑呀!”

余楠笑了,“我是说它像你一样可爱。”

苏岩说:“真肉麻。”

余楠不知怎么搞的,又流泪了。

苏岩说:“你怎么了?”

余楠说:“你刚才为什么让我去学表演呐?”

苏岩擦拭着余楠脸颊上的泪珠,“傻子!你想多了!我说让你学表演,是因为你长得漂亮,你将来可以去当演员。我没有其他意思。你刚才说什么,你在利用我。你那两下子吧!余楠,实话告诉你吧,我才是一直在利用你!我早就开始怀疑朱亮了。我接近你只有一个目的,那就是想利用你找到朱亮犯罪的证据。”

余楠吃惊地看着苏岩。

苏岩诚恳地说:“对不起!请你原谅我。我们这些警察都有职业病。我们谁都怀疑,看谁都像犯罪嫌疑人。”

苏岩叹了一口气,“这回我病得实在太重了,我竟然那么执着地认为，是朱亮杀了王晨。你刚才说，怀疑朱亮有罪是因为你自己有罪。其实，真正有罪的是我。”

余楠说：“亲爱的，你没罪。”她轻轻地把身体依偎在苏岩的怀里。

苏岩温柔地搂着余楠，“宝宝，今后长点儿心眼吧！你没有利用我。你也利用不了我。这个世界是属于我们男人的。你记不记得，一个日本的数学家小泉龙太郎说过这样的一句话，女人啊，你的名字是弱者！”

余楠吃惊地说：“妈呀！小泉龙太郎原来是数学家呀！”

6

余楠穿着苏岩曾经给她买的乳罩和丁字裤，钻进了苏岩的被里。

余楠搂着苏岩无比歉意地说：“亲爱的，你知道社会上都在怎么议论你吗？”

苏岩说：“他们愿意怎么议论就怎么议论吧！我根本就不在乎！”

余楠说：“你真的不在乎吗？”

苏岩说：“你不相信是不是？你太不了解我了。凡是议论我的，他们在我眼里全是狗屎。你想，他们说我好，我不能发财，说我不好，我也不能倒霉。你说，我有必要在乎他们吗？我告诉你，只要我爸我妈说我好，只要我们局长说我好，其他的爱他妈的谁谁谁！”

余楠畏缩在苏岩的怀里，轻柔地说：“我是说，你挺窝囊的。他们都认为你抢了别人的女朋友，可他们哪里知道，你到现在还没到手呢！”

苏岩说："你这么一说吧，我确实觉得有点窝囊。"

苏岩抚摸着余楠的乳房。

余楠说："你喜欢我吗？"

苏岩说："喜欢。"

余楠说："我不相信。你都说了，你和我在一起就是为了利用我。"

苏岩说："我那是在说假话。我是打着利用你的旗号，来实现喜欢你的目的。你不信是不是？我跟你说，过去我一个人很少回家住。我总住在单位。但从你来了之后，无论多晚我都回来。有两次是我值班，我都让别人替我。你说我要是不喜欢你，我干吗要回来呀！我明明知道我回来吧，也不能和你干那种事儿，但我还是回来。我愿意和你在一起，即使不干那种事儿，我也愿意搂着你！你知道，为什么吗？这是因为你长得漂亮，像电影演员似的。亲爱的，我让你学表演不是讽刺你。你在我眼里就是一个明星。你想，我一个普普通通人民警察，能天天搂着明星睡觉，我多骄傲啊！"

余楠用手捂住了苏岩的嘴，"行了，别忽悠了。你想干什么就干吧！"

苏岩说："想干……不是也干不了吗！亲爱的，你这次来事儿的周期也够长的！"

余楠脸红了，她说："对不起！"

余楠伸手要脱掉自己身上最后的衣服，苏岩按住她的手，"咱们不做了。"

余楠坚持着，她说："我想做。"

苏岩重重地叹了一口气。

余楠说："你叹什么气呀？"

苏岩说："我的命苦啊！"

余楠说:“怎么苦了?”

苏岩说:“过去你不想做的时候吧,你装来事儿。现在你想做了吧,却真来事儿了。亲爱的,你说我的命不苦吗?”

7

就像苏岩自己说的,只要他父母和局长说他好,其他人,他是真的全都不在乎。父母说他好很容易。他从小娇生惯养,就算父母明知自己的儿子不好也会说好的。但让局长说自己好可就没那么容易了。朱亮这个案子被搞成了这个样子,局长不骂他就已经算是拣便宜了。

早晨一上班,苏岩被陈凯鸣叫到了自己的办公室。

苏岩进屋之后,陈凯鸣没答理他。苏岩小心翼翼地坐在陈凯鸣对面的沙发上。陈凯鸣像苏岩不存在一样全神贯注地看着一张报纸。

苏岩小声地解释着朱亮的案子。他说:“陈局,不管怎么说呢,咱们还是幸运的。毕竟朱亮没有被当成犯罪嫌疑人被刑事拘留。想想都有点后怕,如果真正的杀人犯谢森没有这么及时抓住,后果真是不堪设想啊!”

苏岩见陈凯鸣没吱声,继续说:“陈局,我到刑警队这几年,现在看起来,是个严重错误。不怪你说我,我也真是没个自知之明。我本来给你当秘书当得好好的,可我非得要求下来当个什么刑警。陈局,我错了。我想再回到您的身边,继续给您当秘书。”

陈凯鸣抬起头面无表情地看着苏岩,“你要回来给我当秘书?”

苏岩点了点头。

陈凯鸣说:“你现在怎么这么不要脸呢！这是你想当就当的吗?”

苏岩微微愣住了,他小声地说:“你……不是说我不适合在刑警队工作吗?”

陈凯鸣说:“那我也没说让你回来给我当秘书呀!”

苏岩不吱声了。

陈凯鸣缓和了一下语气,“我说的是让你去搞文学创作!”

苏岩说:“文学创作是一项伟大的事业。目前,我觉得自己还不够成熟。”

陈凯鸣凄凉地叹了一口气,“你确实不够成熟啊!”他把手里的报纸递给了苏岩。

苏岩疑惑地接了过来。

报纸上有一个醒目的大标题《警察原来可以这样无耻》。这是占据了整整一个版面的长篇通讯。上面有一张作者的照片。照片上,朱亮露出那种苏岩十分熟悉的文静懦弱的目光。

朱亮在文中写到,林河市公安局刑警大队的侦察员苏岩卑鄙无耻到了令人发指的地步。苏岩看上了文章作者朱亮的女朋友某某。为了接近某某,他让一个地痞流氓去骚扰朱亮。为了摆脱这个流氓,朱亮只好找到苏岩希望能摆平此事儿。苏岩帮着朱亮摆平了这个流氓。也由此,朱亮的女朋友某某对苏岩产生了好感。于是,苏岩借机开始对某某进行疯狂的追逐。某某不从,苏岩使用以往伎俩继续让流氓去骚扰某某。某某被逼无奈,只好顺从这个披着人民警察外衣的色狼。苏岩得到了某某之后,担心朱亮对其报复,便对朱亮进行了史无前例的陷害。苏岩先是指使流氓对朱亮挑衅,接着,便以殴打他人对朱亮进行治安拘留。当时,林河市发生了一起入室抢劫杀人案。苏岩利用工作之便,搞来了一些所谓的证据,竟然迫使朱亮承认他就是杀人嫌疑犯。正当苏岩的阴谋即将得逞之时,刑警队大队长赵民及时侦破了这起杀人案,抓到了真正的杀人凶手,这才避免了这起骇人听闻的冤案发生。可令人意想不到的是,苏岩为了掩盖自己的罪行,最后竟然强迫朱亮承认,自己进拘留所不是苏岩的陷害,而是朱亮自己本人的愿望。为了让这个谎言听起来可信,苏岩对朱亮说,你进拘留所其实是为了实现你心中的文学之梦。你那么热爱文学,你知道,文学需要深刻的体验和特殊的经历。为了获得无与伦比的体验和经历,你决定去监狱呆上几天。因为一个文学家说,只有进过监狱才算有了完整人生。为了获得这个完整人生。你决定干点儿违法的事儿。但你不想去伤害无辜,于是你找到过去总欺负你的那个流氓。为了文学的梦想,你勇敢地向他挑战。你知道这对你来说很难也很危险,因为你一直害怕这个流氓。但由于你心里怀揣着文学的梦想,你竟然打败了这个流氓。由此,你不仅得到了进监狱的机会,你还明白了一个道理,那就是战胜流氓的最好办法,就是要比流氓更流氓……

苏岩放下报纸,抬起头看着陈凯鸣。他气得浑身哆嗦。苏岩想为自己辩解,陈凯鸣却冷冷地说:

"你个傻逼,朱亮当时已经给你录音了!"

苏岩傻眼了,呆呆地坐在沙发里。

陈凯鸣说:"纪检委已经对你成立了专案组,从现在开始,你被停职检查了。"

苏岩像是没听见似的,继续地坐着。

陈凯鸣说:"你别坐在我这儿了。赶紧到纪检委去报到吧!"

苏岩慢慢地站了起来,艰难地向门口走去。他很想回头看一眼陈凯鸣,但他忍住了。

苏岩打开了房间的门,陈凯鸣忽然把苏岩叫住。

苏岩转过身。

陈凯鸣坐在椅子里低着头,他慢慢地拿起了一支香烟停在半空中。

苏岩走到陈凯鸣的跟前掏出火柴为局长点燃了。

苏岩的手开始有些颤抖,但很快就稳定了。

陈凯鸣深深地吸了一口香烟,平静地说:

“苏岩,这次你要照顾好你自己!我恐怕帮不上你什么忙了!”他轻轻地叹了一口气,“从明天开始,我将不再是公安局长了!”

(全书完)